Gabriele Bruckmeier

Meine Smartphone-Anleitung

Das Buch zum Kurs für Android

Verlag: BILDNER Verlag GmbH
Bahnhofstraße 8
94032 Passau

http://www.bildner-verlag.de
info@bildner-verlag.de

Autorin: Gabriele Bruckmeier

Covergestaltung: Aaron Kübler

Redaktion und Lektorat: Anja Schmid

Herausgeber: Christian Bildner

Druck: MultiPrint Ltd., 10A Slavyanska str., 2230 Kostinbrod, Bulgaria

ISBN: 978-3-8328-0398-8

Kennziffer 100411_01

Bildnachweis:

Sperrbildschirm-Hintergrund (S. 6):
© Simon Dannhauer - stock.adobe.com

Bilder von „Anne Schöne" (S. 21-25, 41, 43, 51-59, 61, 94, 95, 99):
© Drobot Dean - stock.adobe.comProfilbild in WhatsApp (S. 93, 95, 102):
© deagreez - stock.adobe.com

INHALTSVERZEICHNIS

Wie funktioniert dieses Buch?

Jede Aufgabe hat drei Lösungsschritte.

Erst die Aufgabe lesen …

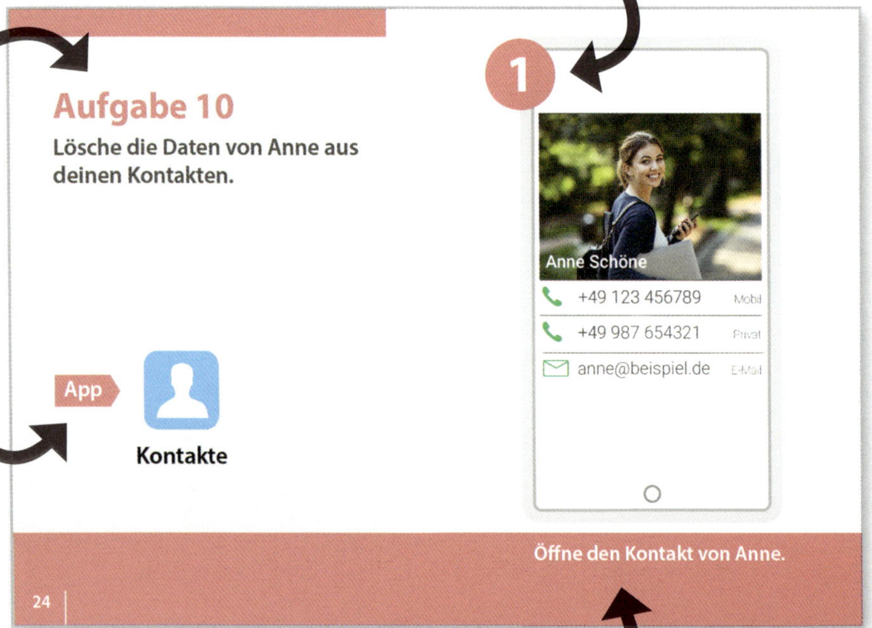

… dann die App auf deinem Smartphone finden und öffnen.

Das ist die Anweisung für den ersten Schritt.

Das gelbe Symbol oben weist darauf hin, dass auf diesen Bildschirm ein Sticker aufgeklebt wird.

Klebe den Sticker auf die entsprechende Stelle des Bildschirms. So weißt du, wo der Button auf deinem Smartphone ist, auf den du tippen musst.

Die Hand zeigt dir, wo du tippen sollst.

Die drei Stickerbögen liegen dem Kursbuch bei. Wähle den Sticker aus, der deinem Smartphone entspricht.

Aufgabe 1

**Öffne den Startbildschirm.
Wie viele Apps sind auf deinem Smartphone installiert?**

**Schalte dein Smartphone ein.
Das ist der Sperrbildschirm.**

Das ist der Startbildschirm. Durch Wischen auf die nächste Seite blättern.

Finde die Übersicht aller Apps. Wie viele Apps sind installiert?

Aufgabe 2

Du willst schnell ein Foto machen. Öffne die Kamera aus dem Sperrbildschirm.

Öffne den Sperrbildschirm.

Ziehe am Kamerasymbol nach oben.

Jetzt kannst du sofort dein Foto machen.

Aufgabe 3

Überprüfe in der Statusleiste, wie gut die Verbindung ins Telefonnetz auf deinem Smartphone ist.

WLAN

Telefonnetz

Mobile Daten

Wecker

Bluetooth

Ton lautlos

Standort-freigabe

Kamera, Mikrofon wird verwendet

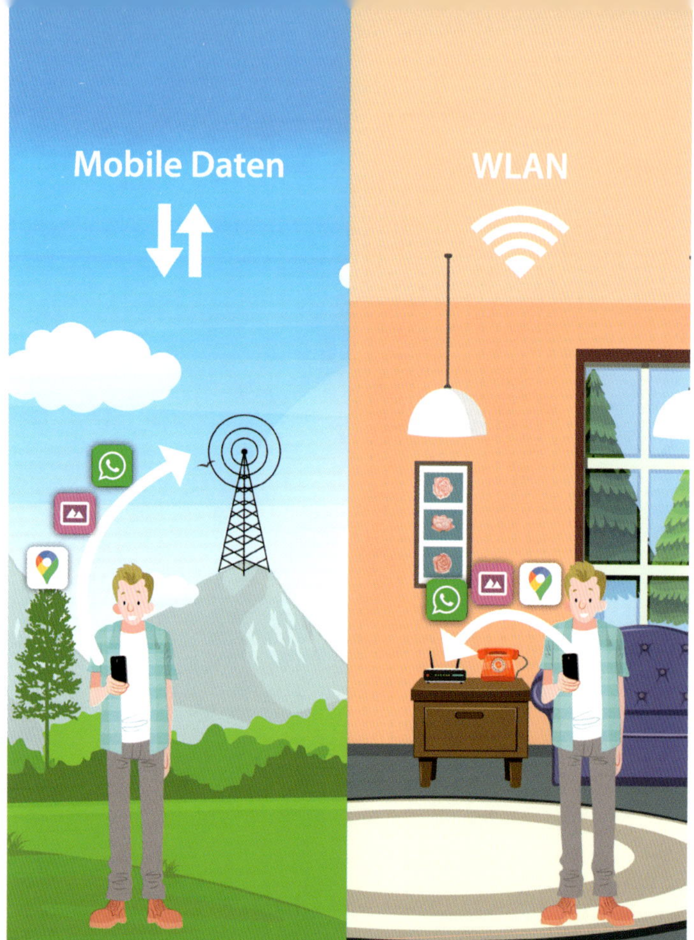

Unterscheide zwischen mobilen Daten und WLAN-Daten.

Die Statusleiste ist am oberen Rand des Bildschirms.

Aufgabe 4

Das Smartphone schaltet sich selbstständig ab, wenn es nicht genutzt wird. Stelle den Zeitraum auf 5 Minuten.

App 

Einstellungen

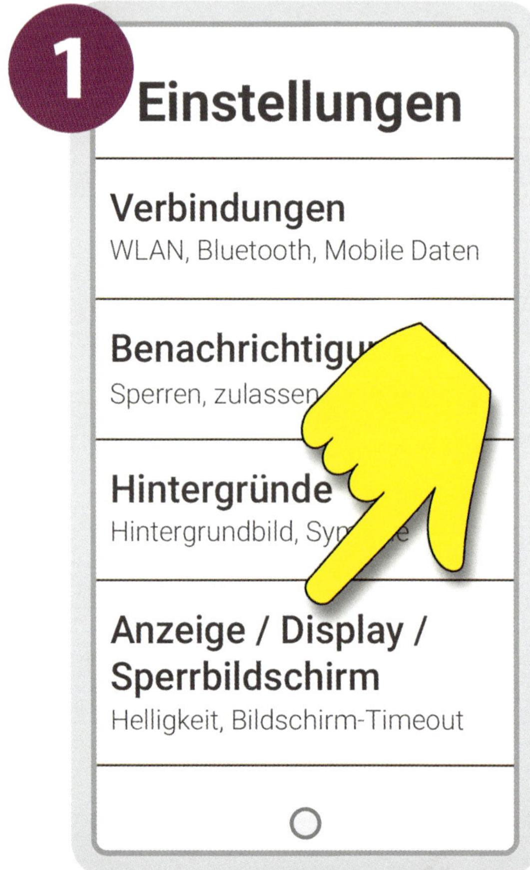

Finde die Zeile und tippe darauf.

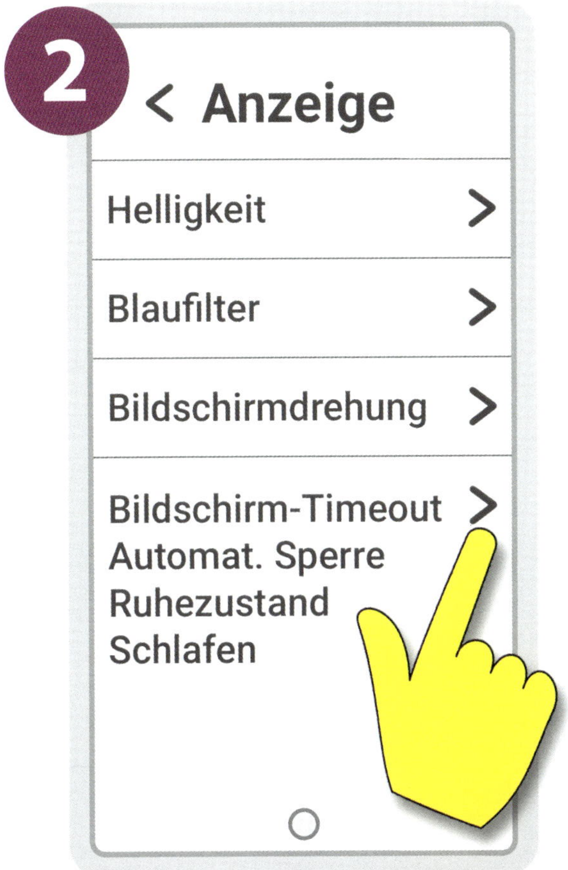

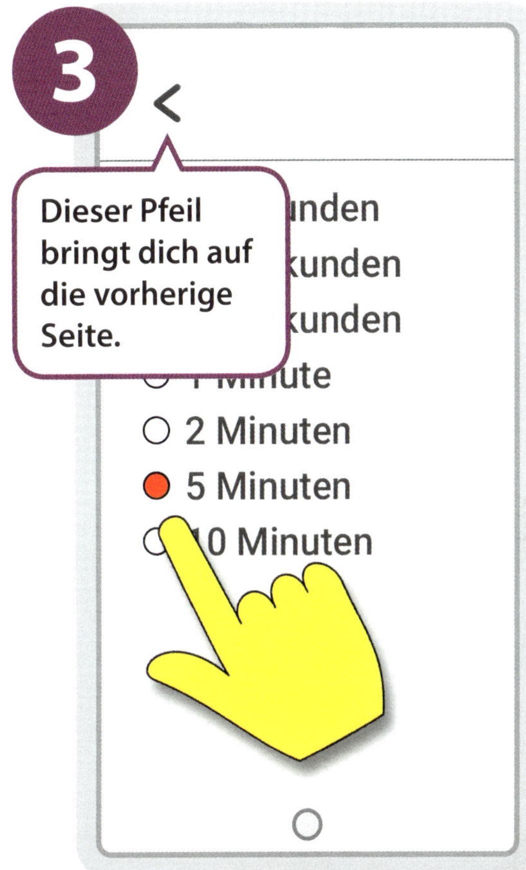

Finde weiter unten die Zeile.
Tippe auf die Zeile.

Wähle »5 Minuten« aus.

Aufgabe 5

Ruf eine Telefonnummer an. Nutze das Ziffernfeld, um diese Nummer einzugeben.

App

Telefon

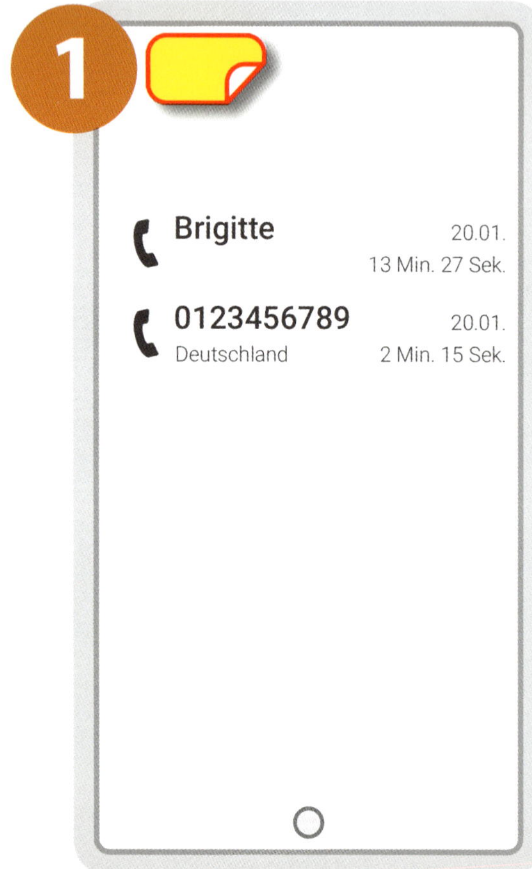

Öffne das Ziffernfeld.

Gib die Telefonnummer über das Ziffernfeld ein.

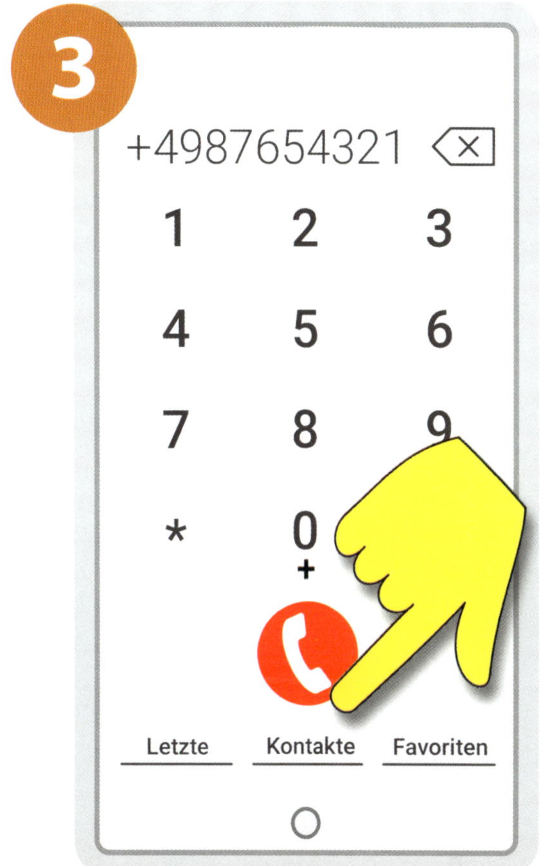

Mit das Telefonat starten und mit beenden.

Aufgabe 6

Schließe alle offenen Apps auf deinem Smartphone.

Wähle zwischen Home-Button und Gestensteuerung. Öffne den Startbildschirm.

Finde die Taste »Offene Apps« und die Taste »Ein Schritt zurück«.

Apps alle auf einmal oder einzeln durch Tippen auf X oder Wischen schließen.

Aufgabe 7

**Du bist im Flugzeug.
Öffne die Schnellzugriffleiste
und schalte den Flugmodus ein.**

- Bildschirm drehen
- Mobile Daten
- Taschenlampe
- Flugmodus
- Energie sparen
- Bitte nicht stören

Ziehe vom oberen Bildschirmrand oder der rechten Ecke nach unten.

Ziehe noch einmal nach unten oder wische, um das Symbol »Flugzeug« zu finden.

Tippe auf das »Flugzeug«. Der Flugmodus ist AN. Überprüfe es in der Statusleiste.

Aufgabe 8

Speichere die Nummer von Anne ab:

Anne Schöne
Tel.: +49 987654321

App Kontakte

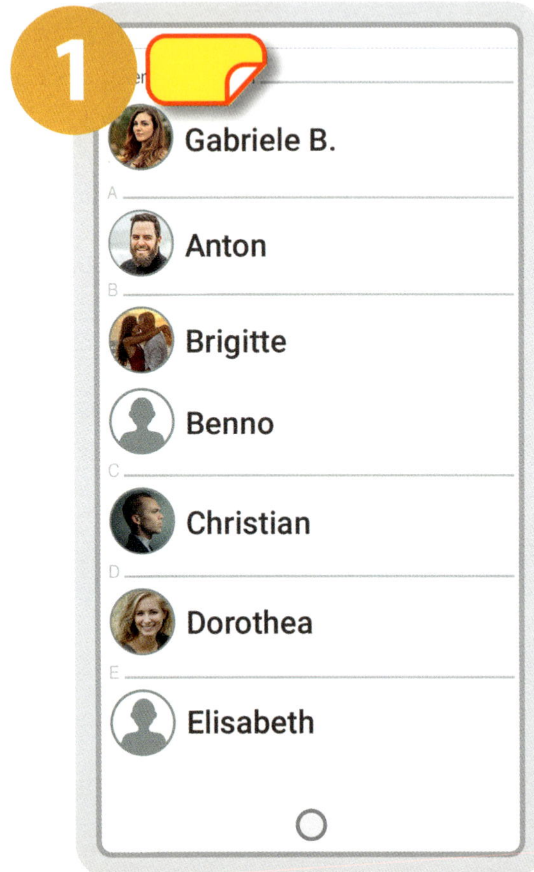

Finde und tippe auf das Plus oder auf »Hinzufügen«.

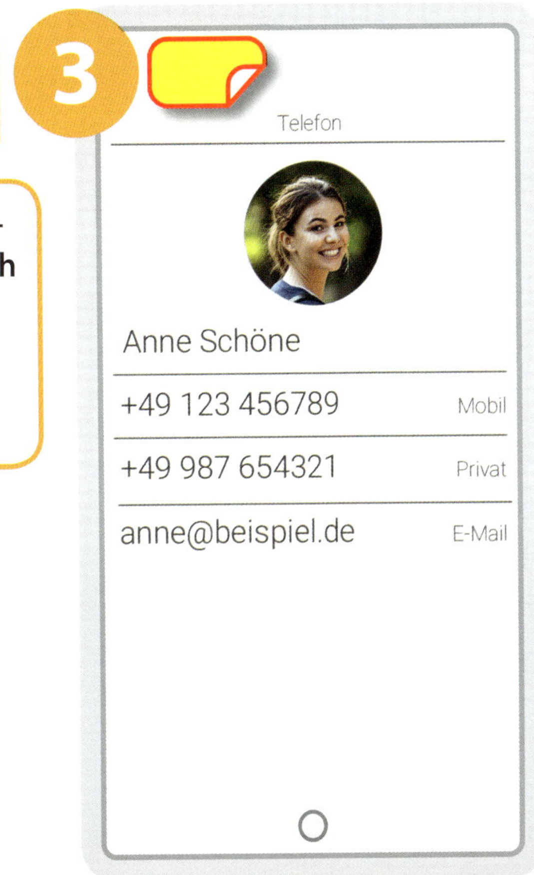

Gib Name, Telefonnummer, E-Mail und eventuell auch ein Foto ein.

Finde »Speichern«. Speichere den Kontakt.

Aufgabe 9

Füge Anne deinen Favoriten hinzu. Überprüfe in der App »Telefon« die Liste deiner Favoriten.

App

Kontakte

1

Öffne den Kontakt von Anne.

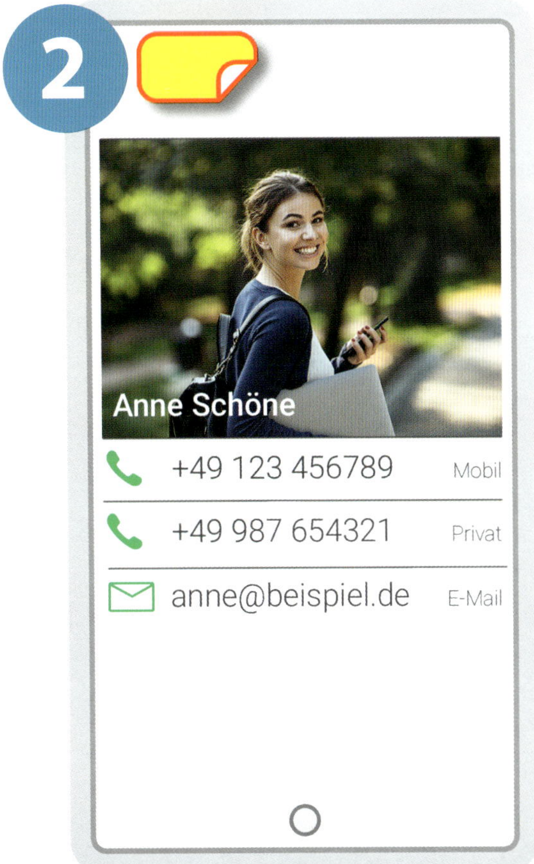

Finde den Stern oder »Favorit hinzufügen« und tippe darauf.

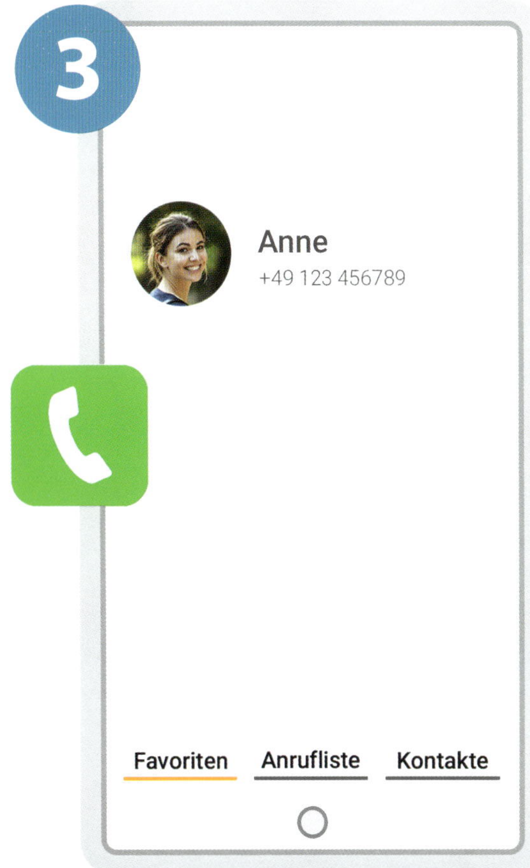

Öffne die App »Telefon« und überprüfe Favoriten oder Kontakte.

Aufgabe 10

Lösche die Daten von Anne aus deinen Kontakten.

App 

Kontakte

1

Öffne den Kontakt von Anne.

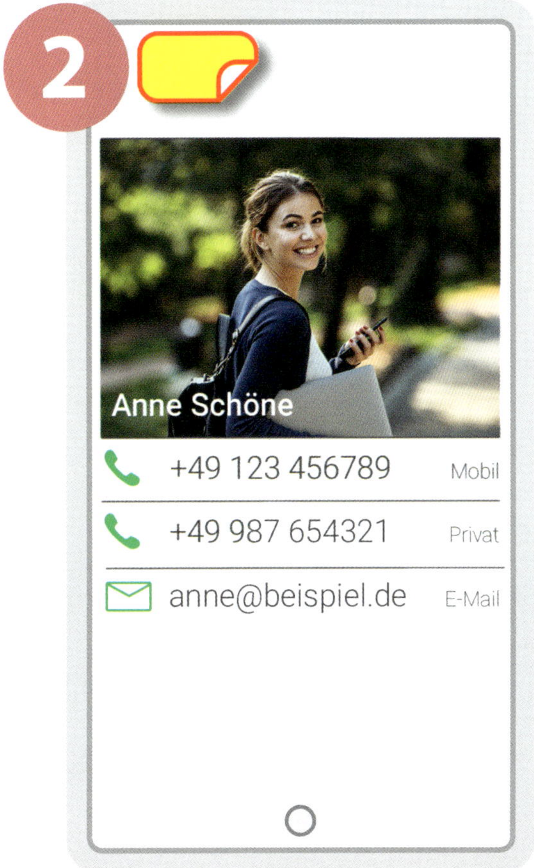

Finde »Löschen« oder »In Papierkorb verschieben«. Tippe darauf.

Bestätige, dass gelöscht bzw. in den Papierkorb verschoben werden soll.

Aufgabe 11

Stelle dir einen Timer, der nach 1 Minute klingelt.

App

Uhr

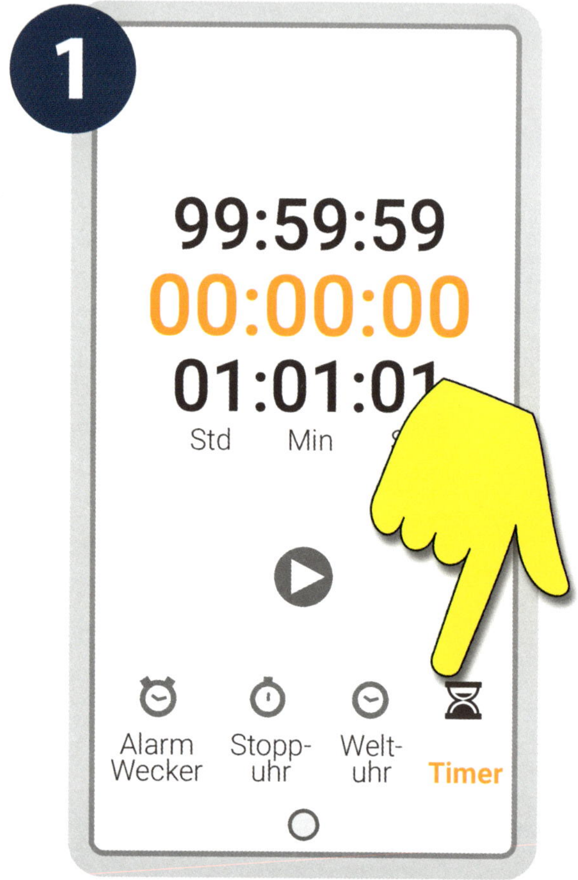

Wähle »Timer« aus.

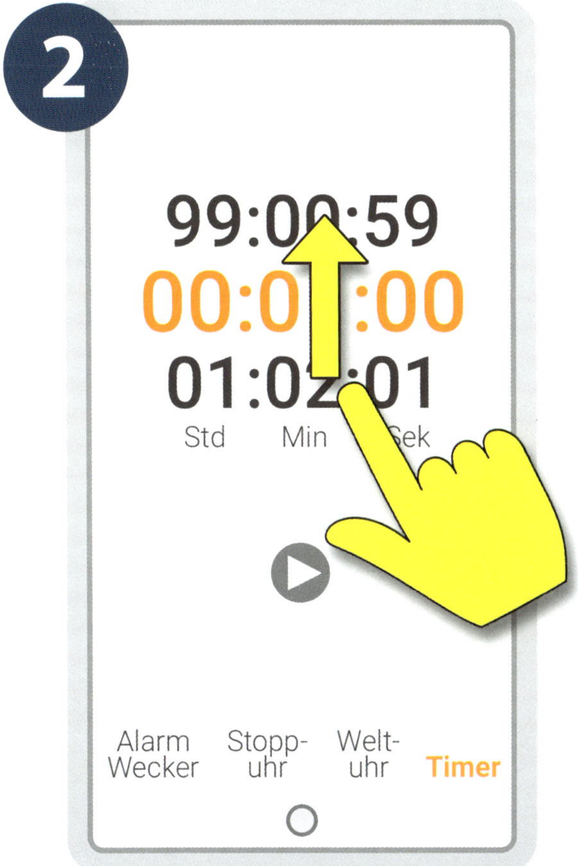

Stelle die Uhrzeit auf
1 Minute ein.

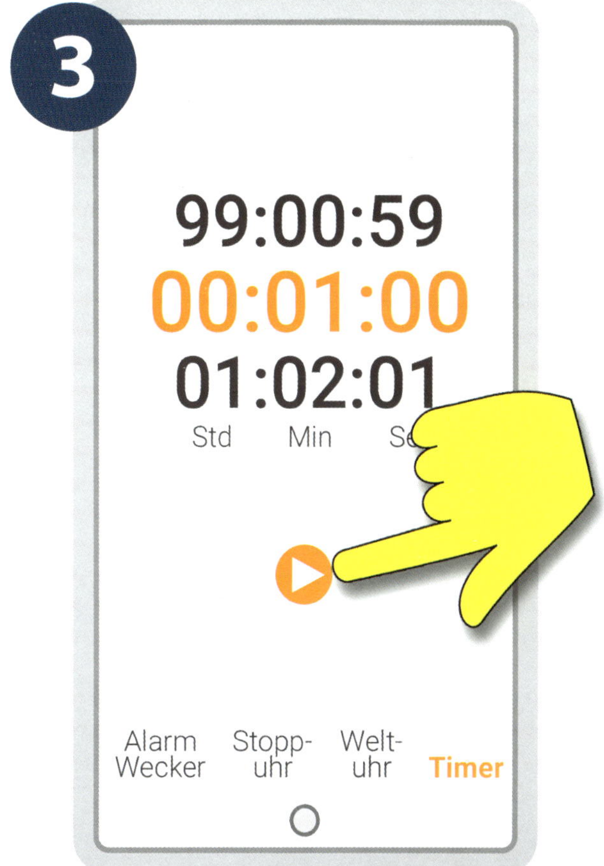

Starte den Timer.

Aufgabe 12

Stelle dir einen Wecker auf 7 Uhr. Er soll jeden Montag klingeln.

Wähle »Alarm/Wecker« aus. Finde das Plus und tippe darauf.

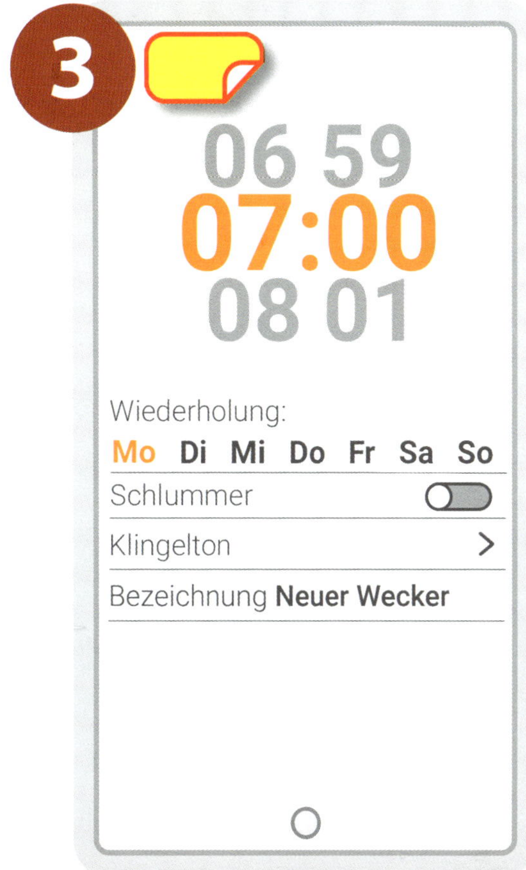

Stelle die Uhrzeit auf 7:00 Uhr.
Gib Wiederholung »Montag« ein.

Finde das Symbol für »Speichern«.
Speichere den Wecker.

Aufgabe 13

Du bist im Urlaub und brauchst keinen Wecker.
Stelle den Wecker auf AUS.

App

Uhr

Es gibt pro Weckzeit einen Schalter zum Ein- und Ausschalten.

Tippe auf den Schalter, um den Wecker auszuschalten.

Überprüfe in der Statusleiste, ob alle Wecker ausgeschaltet sind.

Aufgabe 14

Lösche den Sieben-Uhr-Wecker.

App

Uhr

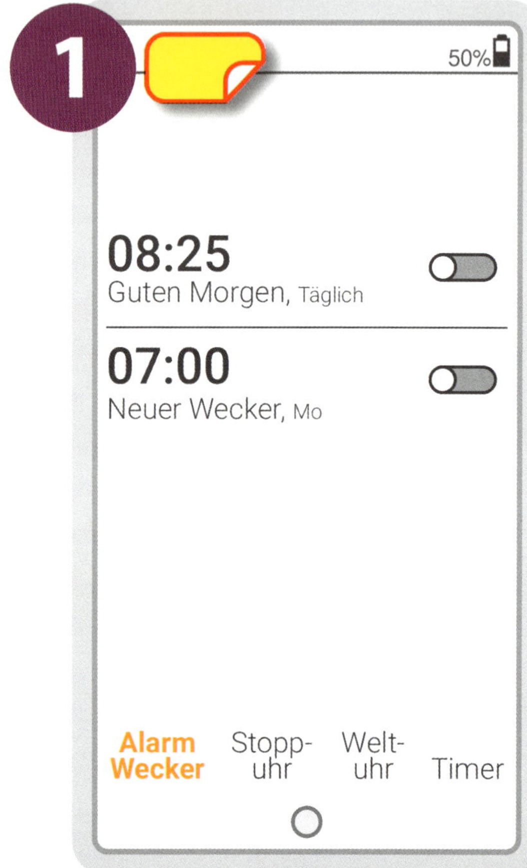

Finde »Löschen« und tippe darauf.

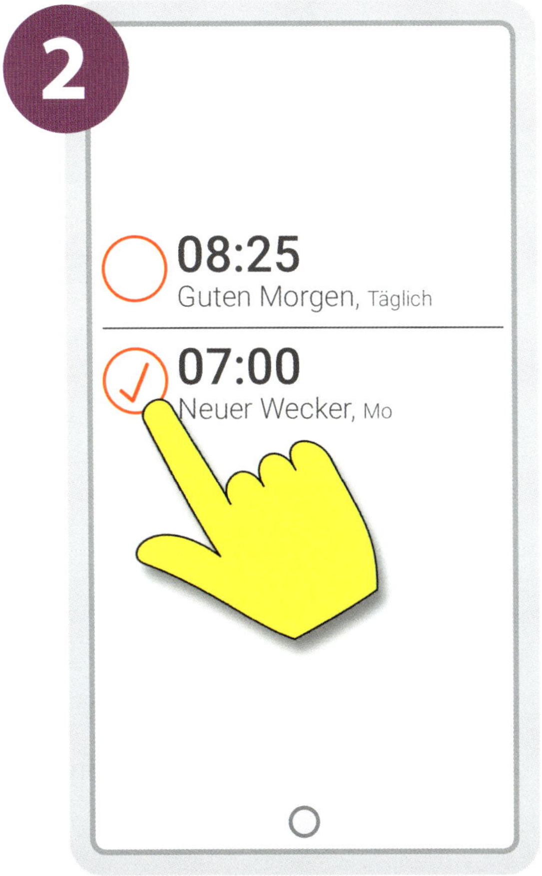

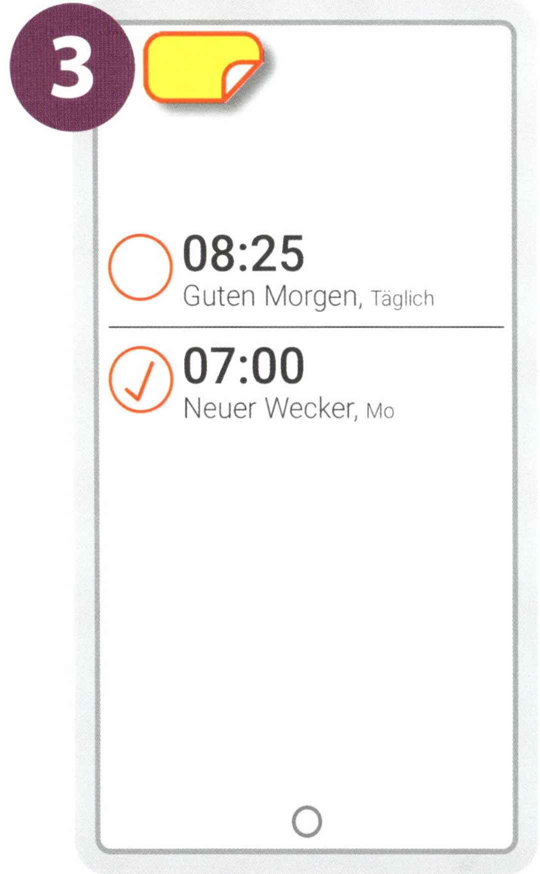

Wähle den Sieben-Uhr-Wecker aus.

Bestätige »Löschen«.

Aufgabe 15

Schaue im Kalender nach, ob Weihnachten dieses Jahr ein Mittwoch ist.

App ▶ **Kalender**

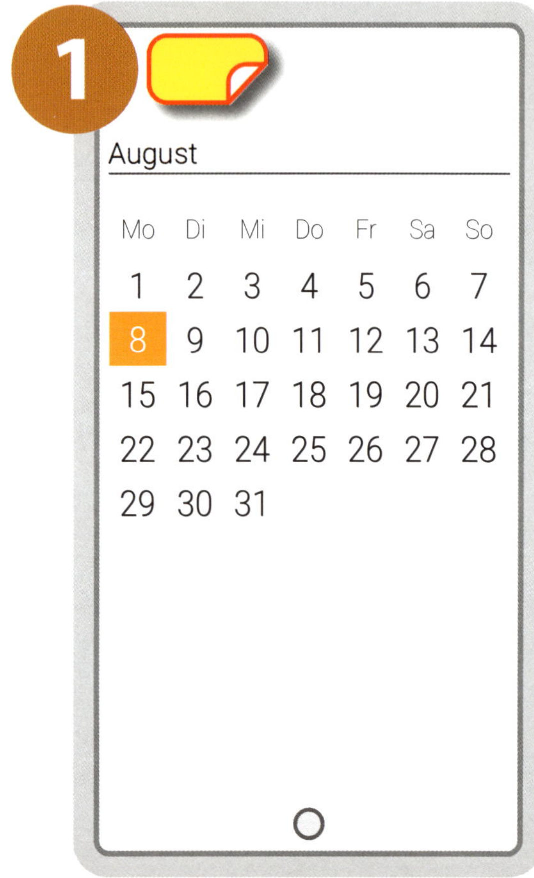

Finde das Symbol, mit dem du die Ansicht auf Monat oder Jahr stellen kannst.

Wische nach links oder nach oben, um weiterzublättern.

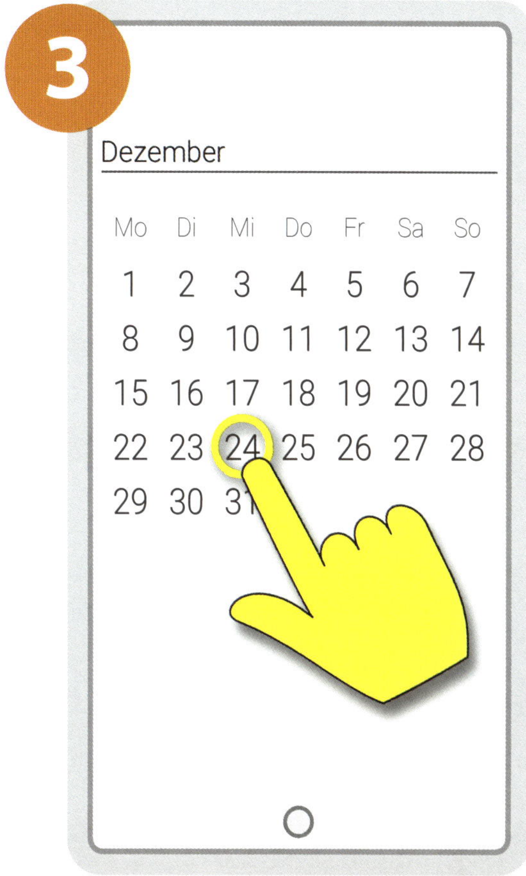

Tippe auf den Tag, an dem du einen Termin eingeben willst.

Aufgabe 16

Du musst zum Friseur. Trage einen Termin für nächsten Dienstag um 10 Uhr ein.

App

Kalender

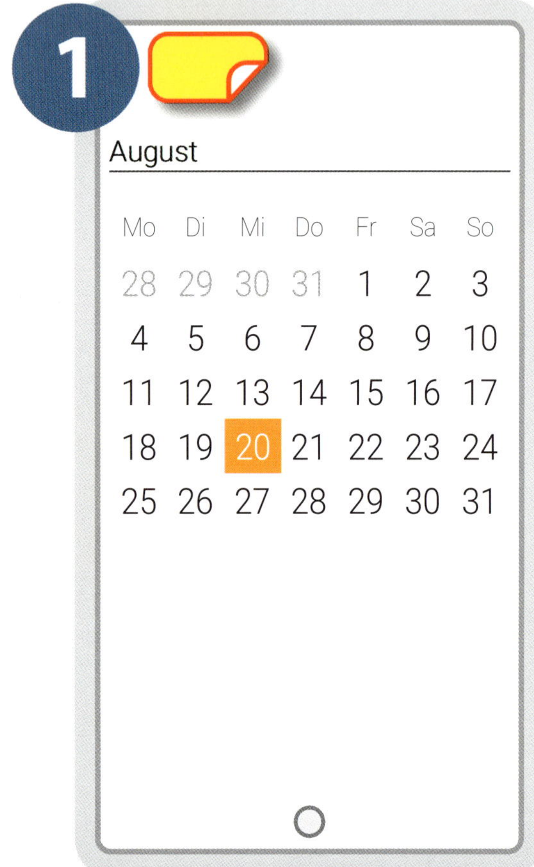

Gehe auf die Monatsübersicht. Finde das Plus und tippe darauf.

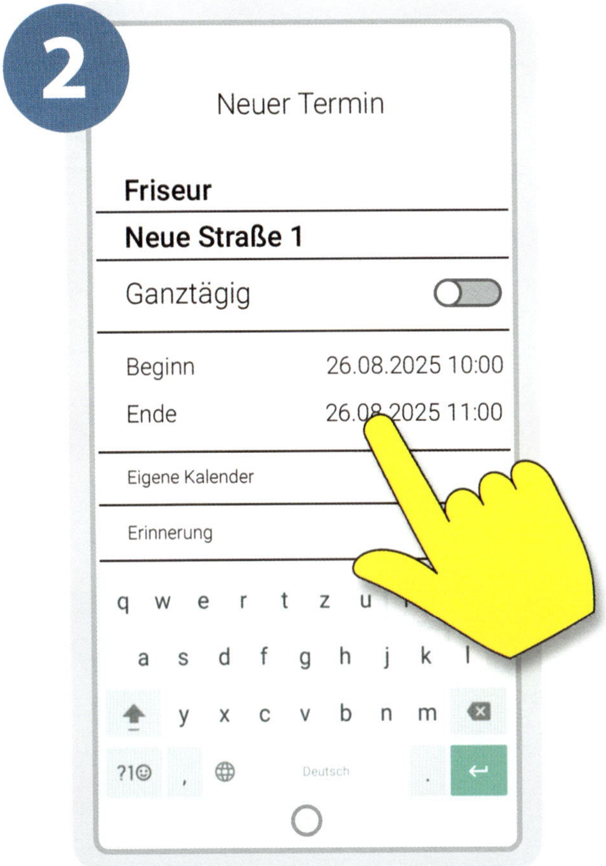

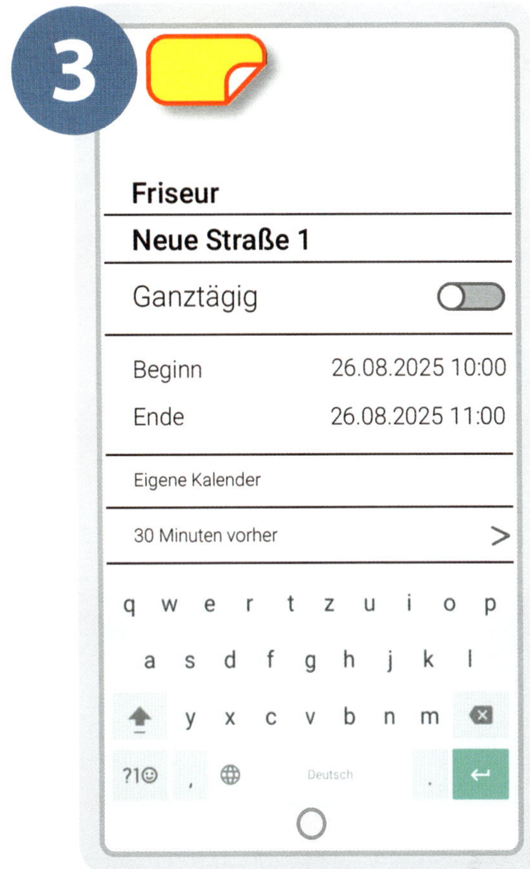

Gib für den Termin Name, Adresse, Datum und Uhrzeit ein.

Finde »Speichern«. Speichere den Termin.

Aufgabe 17

Lösche den Termin wieder aus deinem Kalender.

App

Kalender

Tippe auf den Friseur-Termin, um ihn zu öffnen.

Finde »Löschen« und tippe darauf.

Bestätige, dass dieser Termin gelöscht werden soll.

Aufgabe 18

Sende eine Nachricht / SMS an einen Freund.

App

Nachrichten

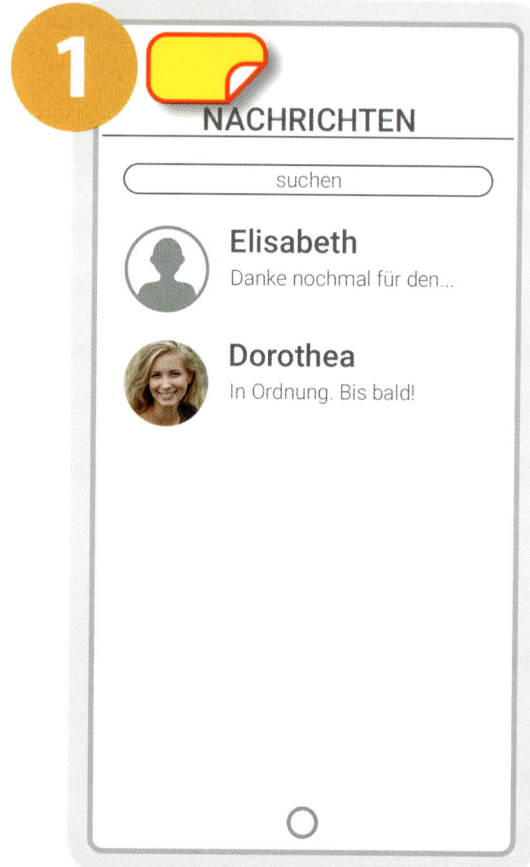

Finde das Symbol für »Neue Nachricht« oder tippe direkt auf einen Kontakt.

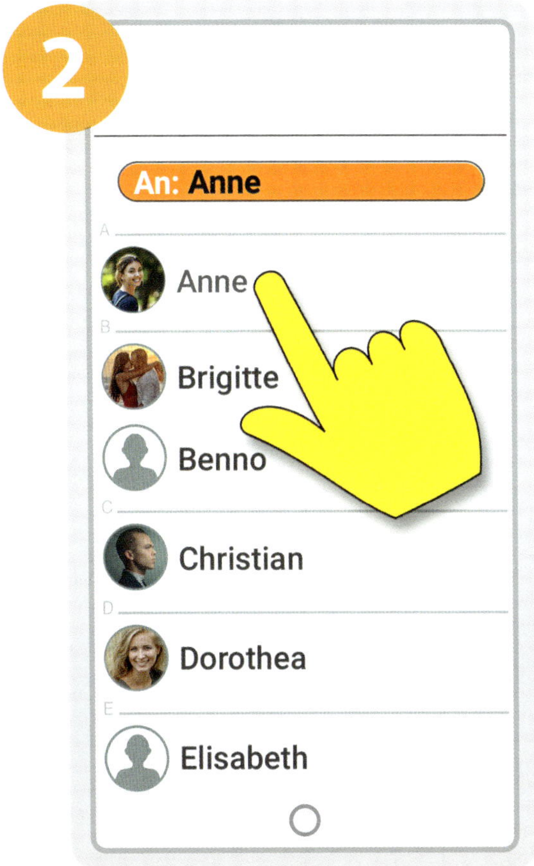

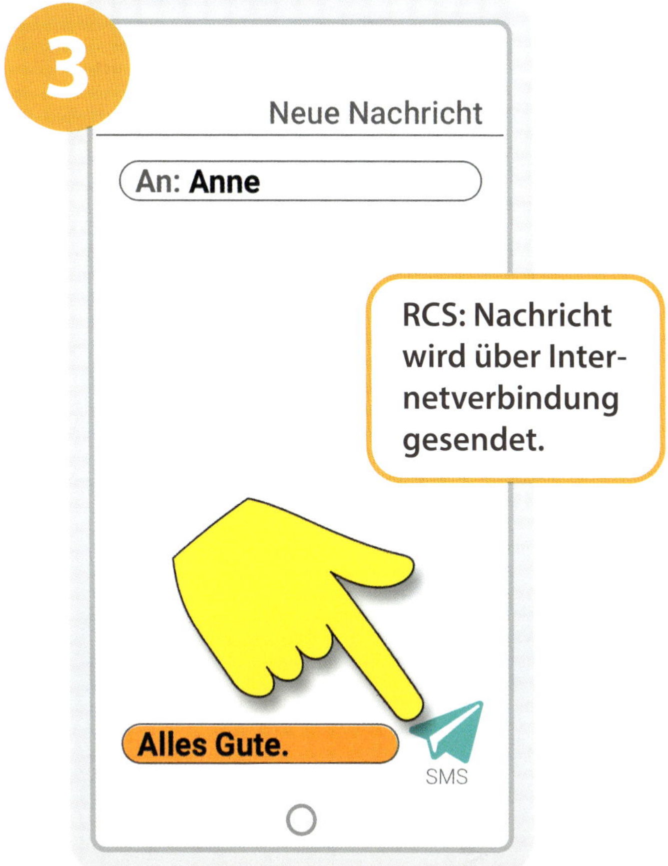

Wähle einen Kontakt aus oder gib oben eine Smartphone-Nummer ein.

Tippe in das Textfeld unten. Gib deine Nachricht ein und schicke sie ab.

Aufgabe 19

Sende eine SMS mit einem angehängten Bild. Das ist eine MMS.

Nachrichten

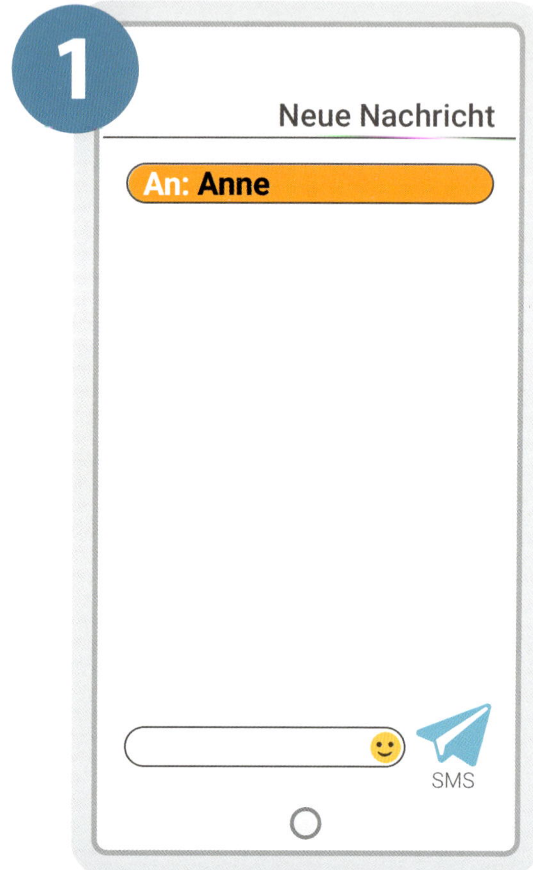

Öffne eine neue Nachricht und gib oben den Empfänger ein.

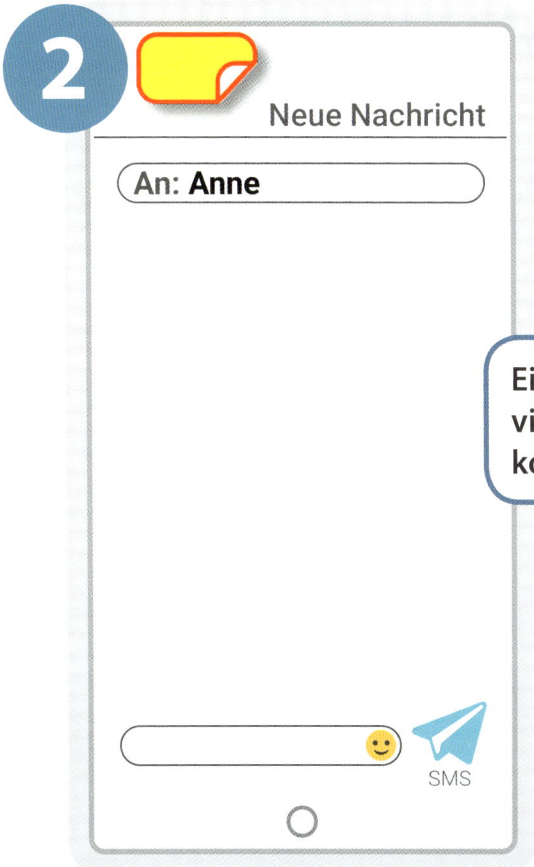

Finde das Plus oder die Büroklammer und tippe darauf.

Wähle ein Foto aus und schreibe eine Nachricht dazu. Drücke auf »Senden«.

Aufgabe 20

Lösche eine Nachricht.

App

Nachrichten

Drücke etwas länger auf die Nachricht, die du löschen möchtest.

2

3

Finde das Symbol für »Löschen«. Tippe darauf.

Bestätige, dass diese Nachricht gelöscht werden soll.

Aufgabe 21

a) Mache ein Foto.
b) Drehe ein Video.

App

Kamera

Stelle die Kamera auf FOTO und drücke auf den Auslöser.

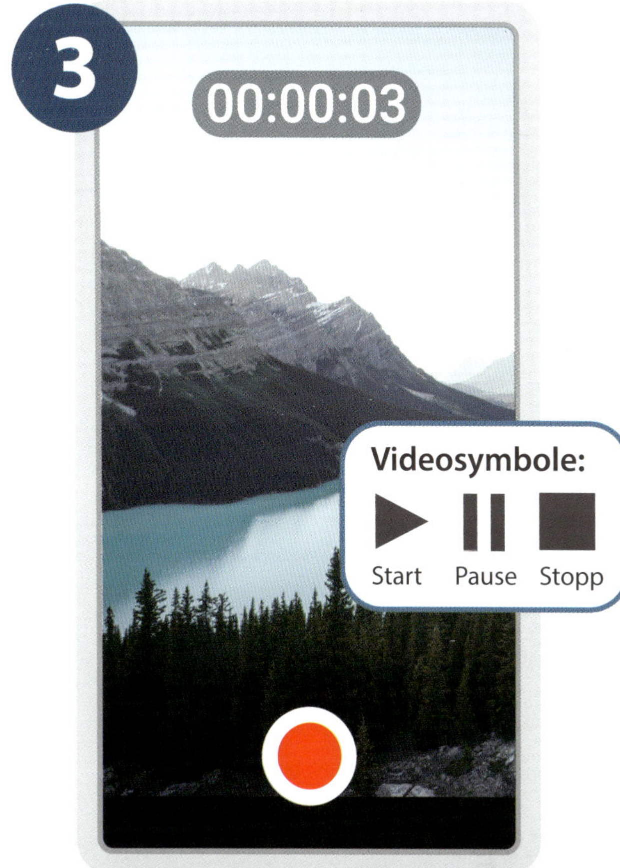

Stelle die Kamera auf VIDEO. Tippe auf den Auslöser, um die Aufnahme zu starten.

Tippe erneut auf den Auslöser, um die Aufnahme zu stoppen.

Aufgabe 22

Du willst das Foto/Video wieder löschen.
Öffne und lösche es.

App

Kamera

1

Finde die Vorschau – eine Miniversion deines Bildes/Videos – und tippe darauf.

2

3

Finde den »Papierkorb« und tippe darauf.

Bestätige »Löschen« / »In Papierkorb verschieben«.

Aufgabe 23

Mache ein Selfie von dir.

App

Kamera

Aktiviere die vordere Kamera, indem du auf den Schalter zum Wechseln der Kamera tippst.

Der untere Lautstärke-Knopf ist bei vielen Smartphones auch Auslöser.

Schaue unter Kamera-Einstellungen, ob es alternative Auslöser gibt.

Tippe auf den Auslöser, um ein Foto von dir zu machen.

Aufgabe 24

Dir gefällt dein Foto noch nicht. Verändere den Ausschnitt deines Bildes.

App Galerie

Bildbearbeitung:

- Zuschneiden
- Filter
- Belichtung/Farbe
- Anpassen
- Sticker
- Text
- KI-Tools

Finde das Werkzeug »Zuschneiden« und tippe darauf.

Schiebe die Seitenkanten nach innen und bestätige, wenn du fertig bist.

Speichere das verkleinerte Bild neu ab.

Aufgabe 25

Bearbeite dein Bild mit einem Fotofilter.

App

Galerie

1

Finde das Werkzeug »Fotofilter« und tippe darauf.

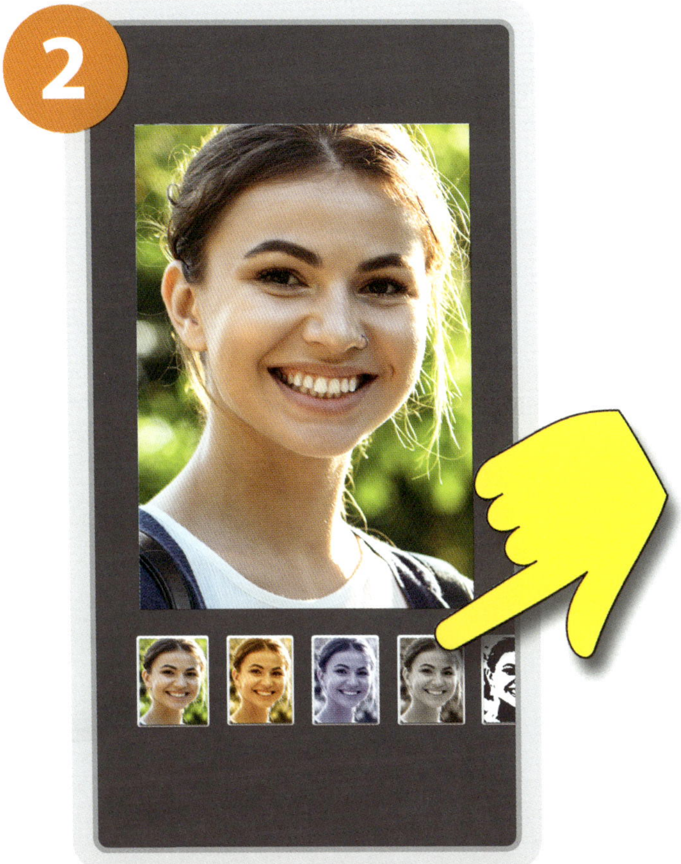

Probiere die verschiedenen Filter deines Smartphones aus.

Speichere das bearbeitete Bild neu ab.

Aufgabe 26

Sende dein Bild an einen Freund oder eine Freundin.

App Galerie

1

Finde das passende Symbol . Tippe darauf.

Eine MMS ist bei vielen Anbietern kostenpflichtig.

Wähle eine App aus, über die das Foto versandt werden soll.

In der App den Empfänger auswählen und abschicken.

Aufgabe 27

Fülle das Album »Favoriten« mit deinen Lieblingsbildern.

App

Galerie

1

Öffne ein Bild in der Galerie.

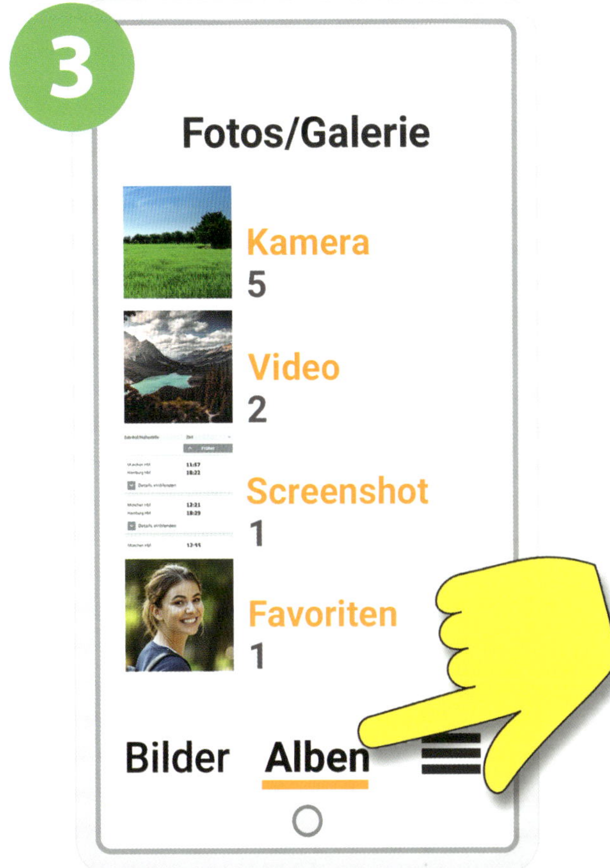

Finde und tippe auf »Herz«/»Stern«.

Überprüfe im Bereich »Alben« die »Favoriten«.

Aufgabe 28

Mache ein Foto von deinem Bildschirm. Das ist ein Screenshot.

App

Galerie

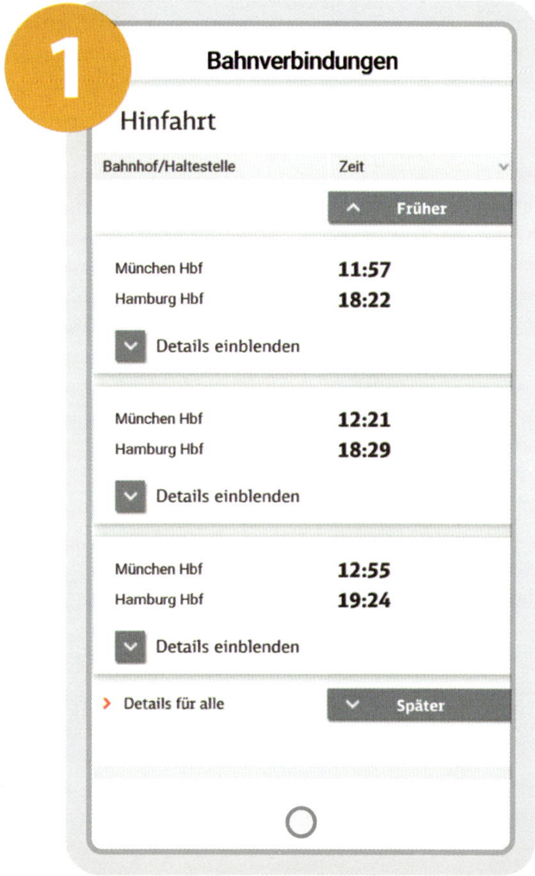

Öffne die App, die du abfotografieren willst.

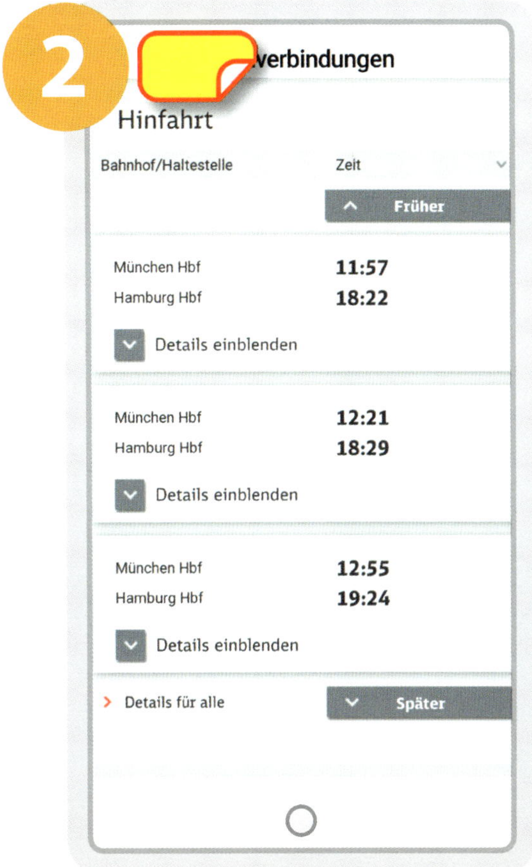

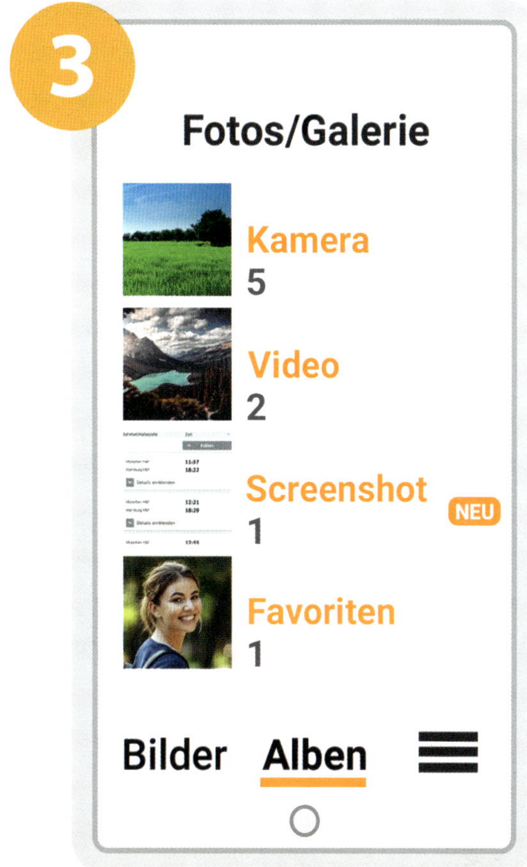

Finde die zwei Schalter, die du gleichzeitig drücken musst.

Öffne die App »Fotos/Galerie«. Dort findest du den Screenshot.

Aufgabe 29

Erstelle eine neue Notiz mit einer Einkaufsliste.

App

Memos / Notizen

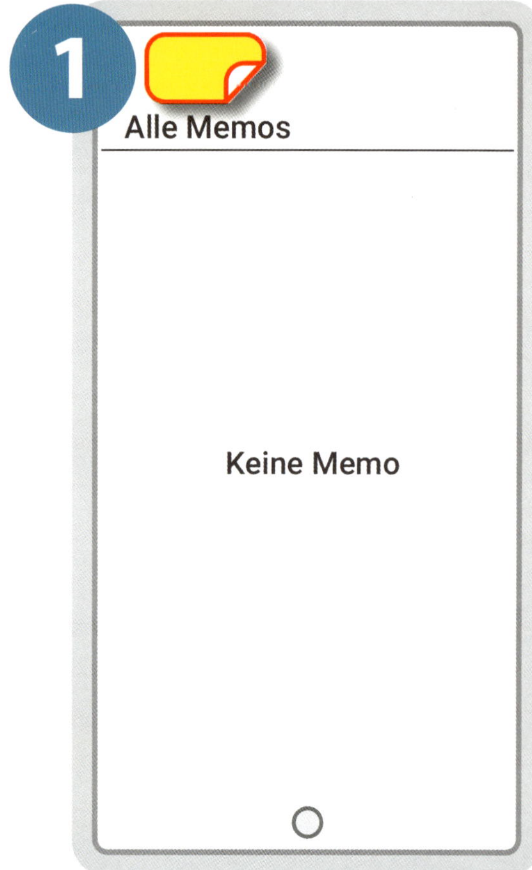

Finde das Plus oder »Neue Notiz« und tippe darauf.

Benutze die Tastatur, um deine Einkaufsliste zu schreiben.

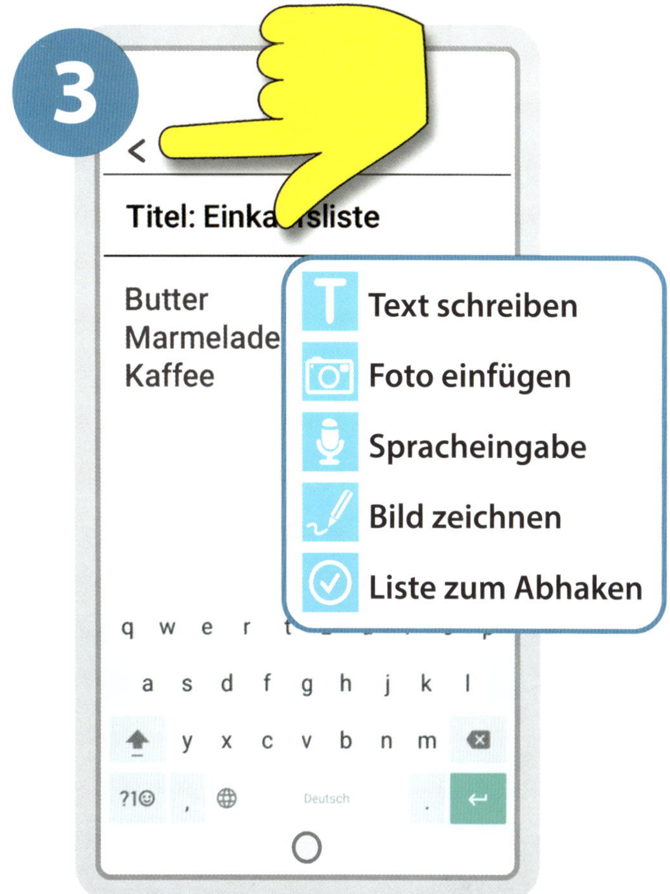

Über die Pfeiltaste links zurück zur Übersicht.

Aufgabe 30

Lösche die Notiz mit deiner Einkaufsliste.

App

Memos / Notizen

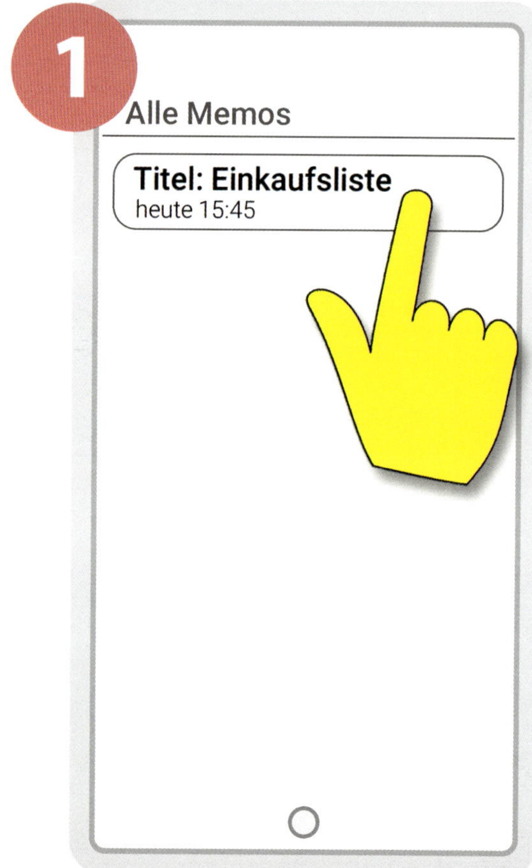

Tippe auf deine Einkaufsliste, um sie zu öffnen.

2

3

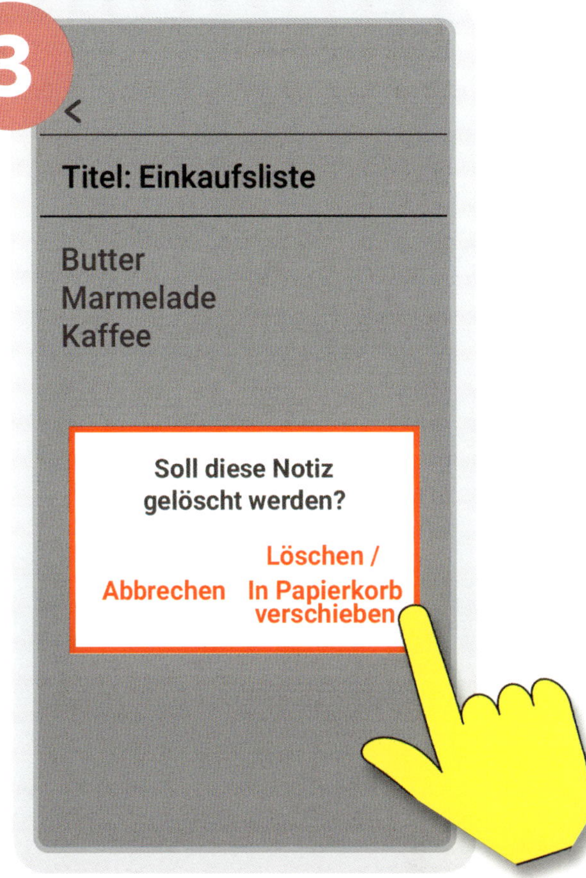

Finde »Löschen« oder den Papierkorb und tippe darauf.

Bestätige »Löschen« / »In Papierkorb verschieben«.

Aufgabe 31

Um mobile Daten zu sparen, stelle eine Verbindung zum WLAN her.

App **Einstellungen**

1

Tippe auf die Zeile »WLAN«. Das WLAN muss angeschaltet sein.

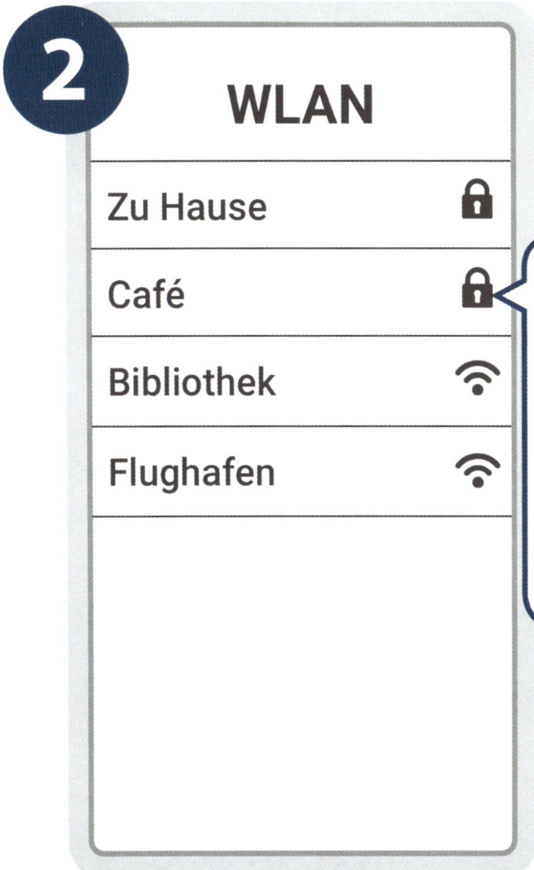

Ein privates Netz hat ein Schloss und du benötigst ein Passwort. Ein öffentliches Netz hat kein Schloss, dafür musst du erst die Nutzungsbedingungen akzeptieren.

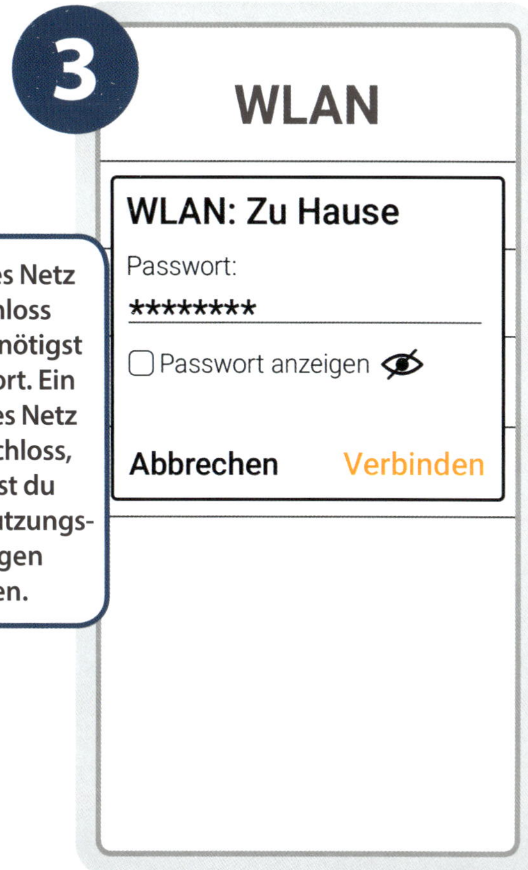

Tippe in der Liste auf das gewünschte WLAN-Netz.

Gib das Passwort ein und tippe auf »Verbinden«.

Aufgabe 32

**Suche deinen eigenen Standort auf der Karte.
Zoome in die Karte, damit du die Straßennamen erkennen kannst.**

App

Maps

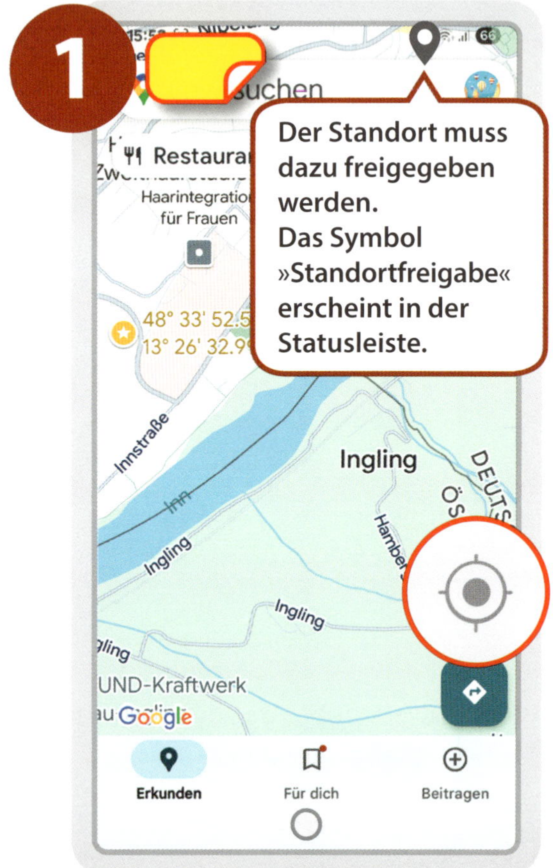

Tippe auf das Symbol »Kompass«.

2

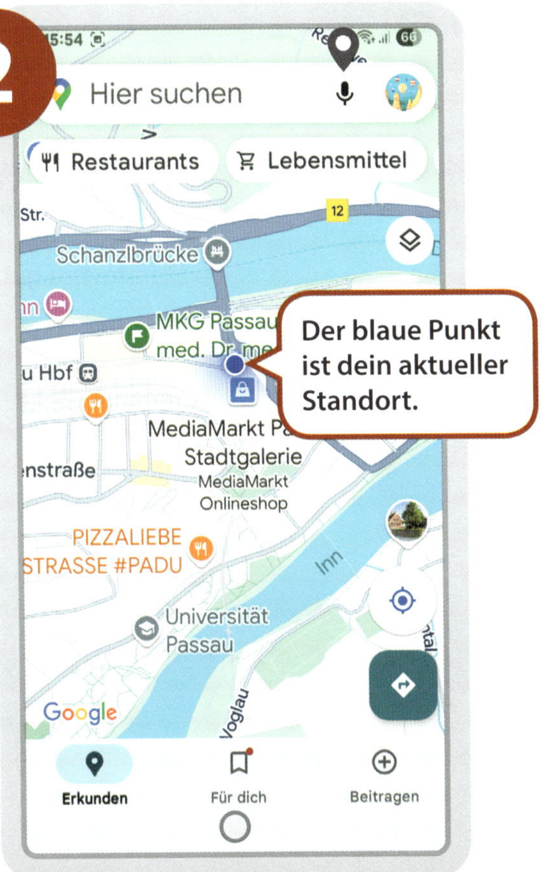

Finde deinen Standort.

3

Zoome in die Karte. Dazu musst du Daumen und Zeigefinger auseinanderschieben.

Aufgabe 33

Suche ein Café in deiner Nähe, das jetzt geöffnet hat.

App

Maps

1

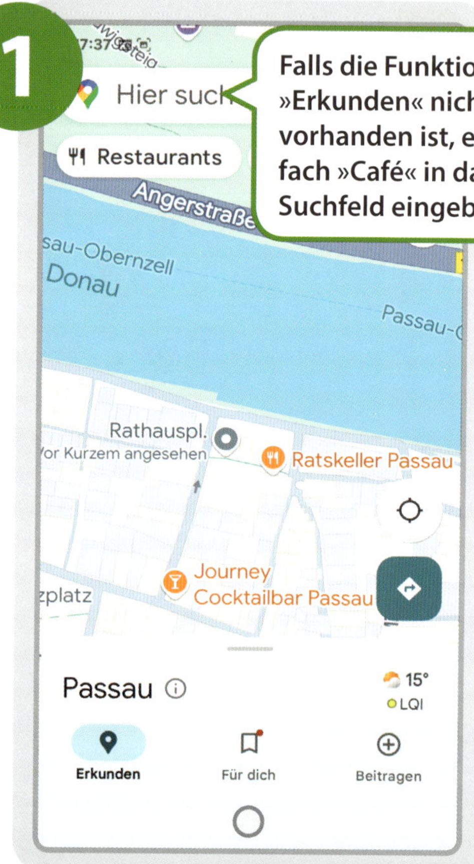

Falls die Funktion »Erkunden« nicht vorhanden ist, einfach »Café« in das Suchfeld eingeben.

Tippe auf »Erkunden«.

2

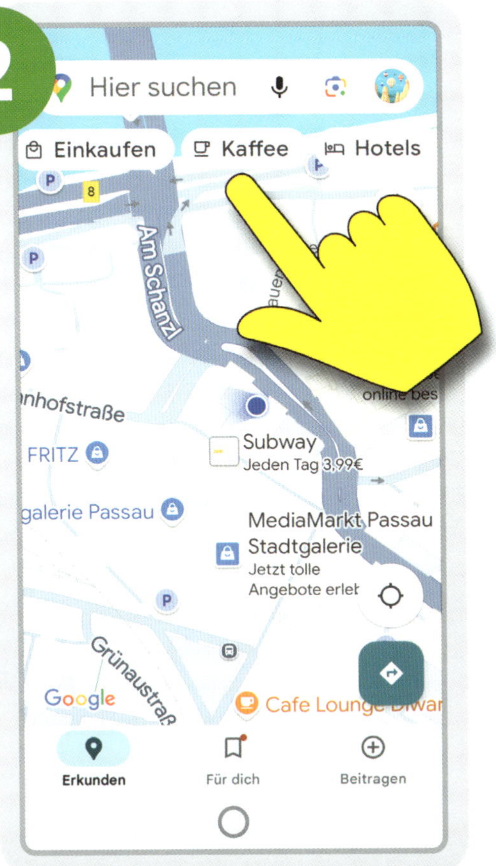

Wische über das Menü oben und wähle »Kaffee«.

3

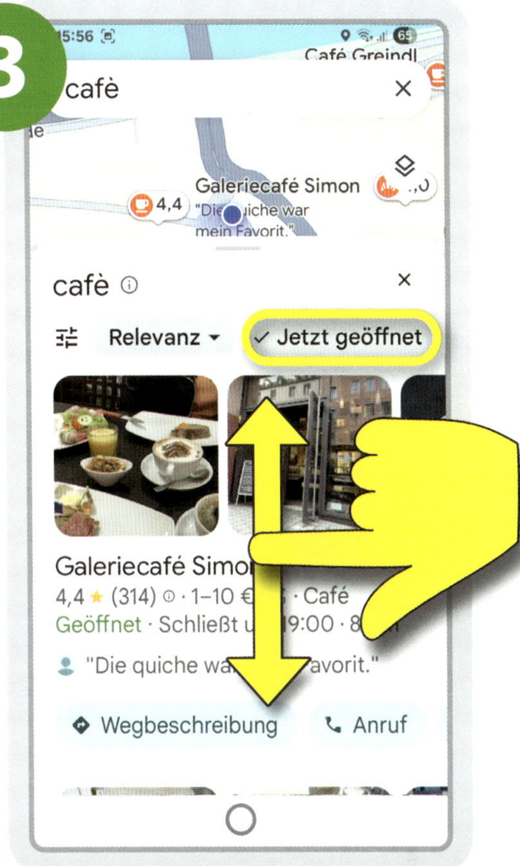

Tippe auf »Jetzt geöffnet«. Suche aus der Liste ein Café aus.

Aufgabe 34

Du willst zum Rathaus fahren. Starte eine Route dorthin. Probiere Auto, Bahn oder Fahrrad aus.

App

Maps

Gib »Rathaus« in das Suchfeld ein. Tippe auf das Ergebnis.

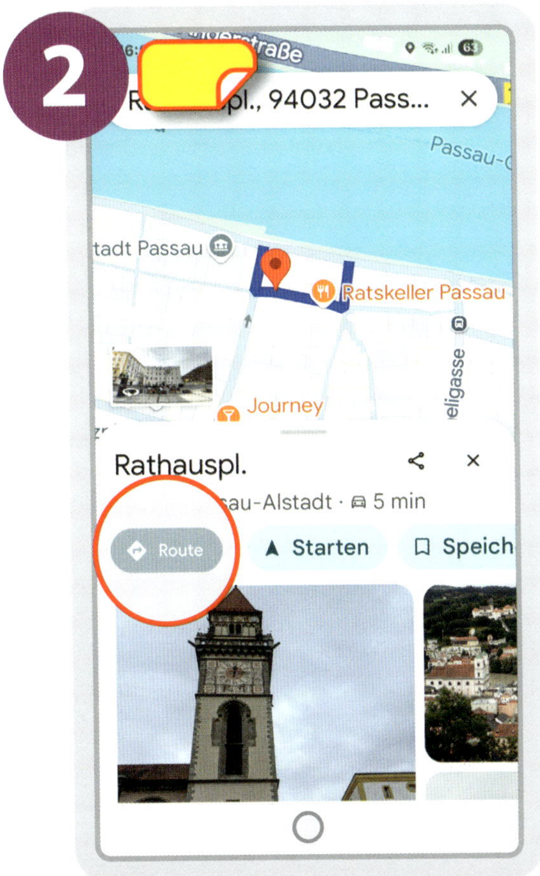

Finde »Route« und tippe darauf.

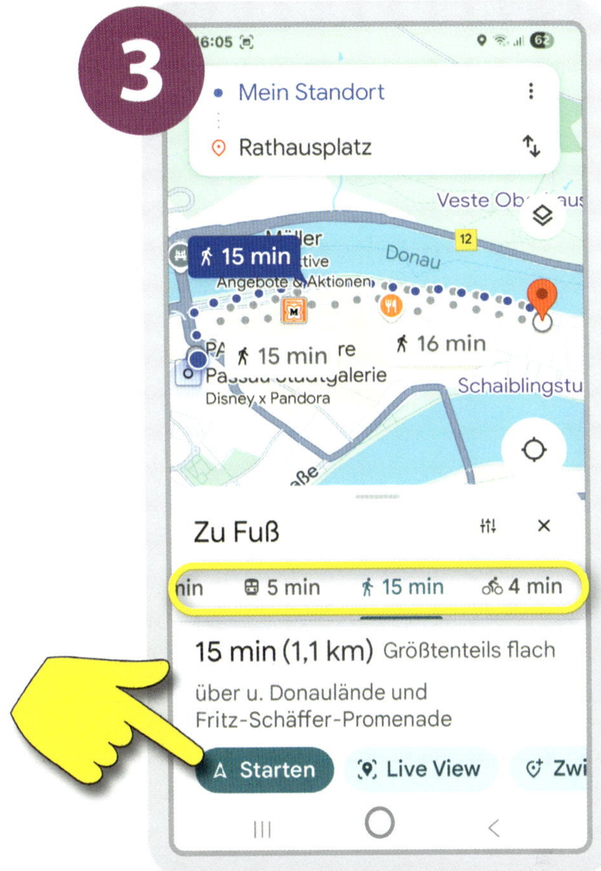

Wähle Strecke und Fahrzeug aus. Tippe auf »Starten«. Beende die Navigation mit X.

Aufgabe 35

Du willst einen Kuchen backen. Suche im Internet nach einem Rezept.

App Google

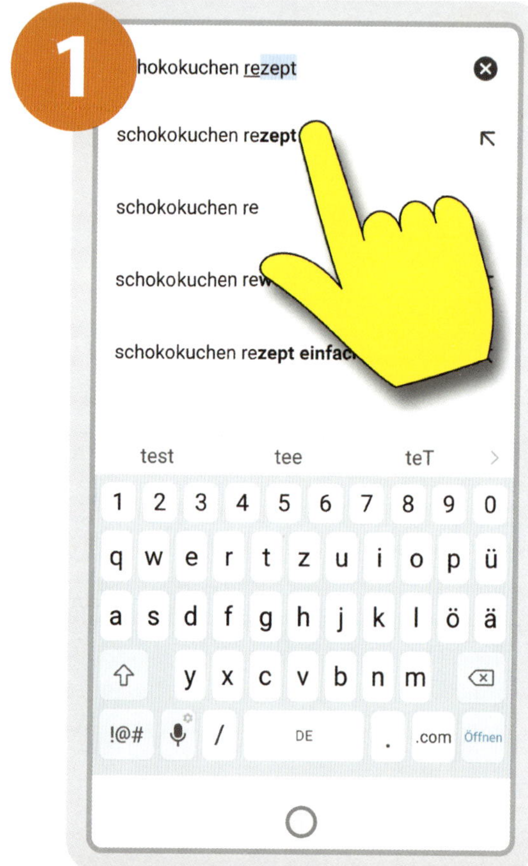

**Gib »Schokokuchen Rezept« in das Suchfeld ein.
Tippe auf ein Ergebnis.**

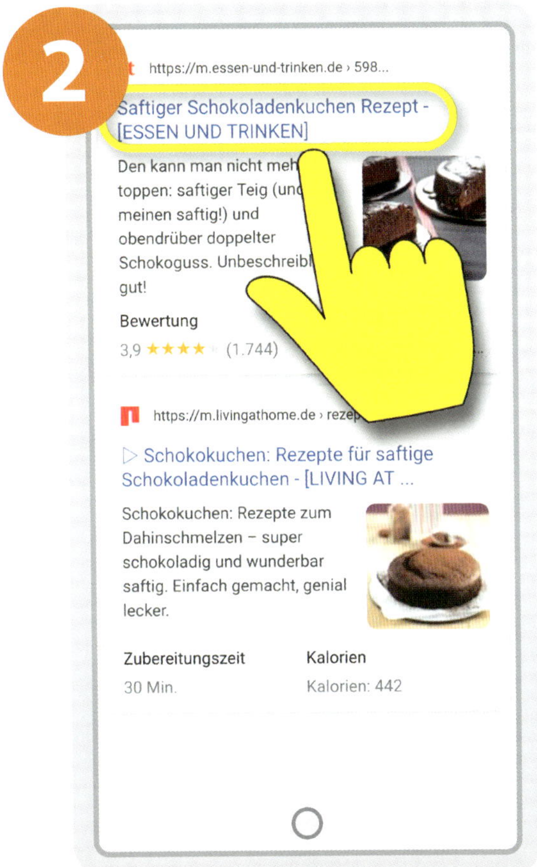

Suche ein Rezept aus und tippe darauf, um die Webseite zu öffnen.

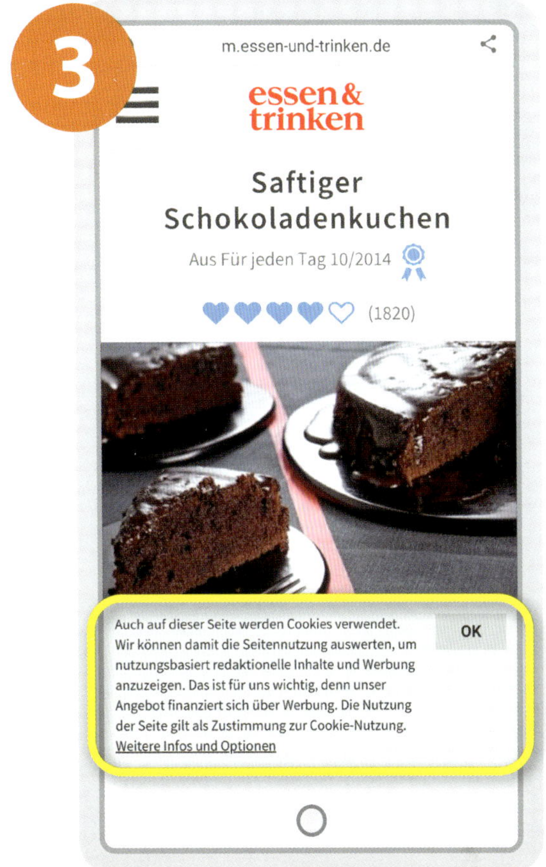

Um die Seite vollständig zu sehen, musst du die Cookies akzeptieren.

Aufgabe 36

Nutze die Spracheingabe, um ein Hotel in Paris zu finden.

App

Google

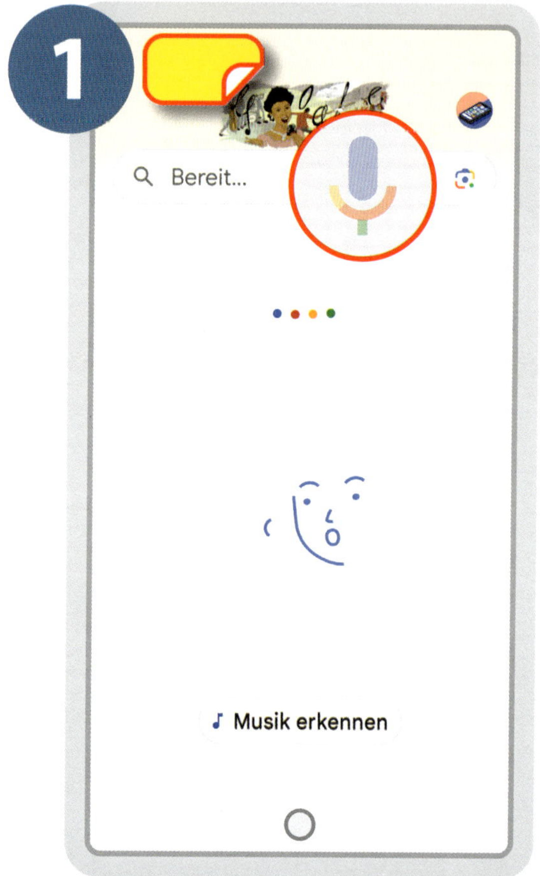

Finde das Mikrofon im Suchfeld und tippe darauf.

Erlaube die Audioaufnahme. Sprich »Hotel in Paris« ins Mikrofon.

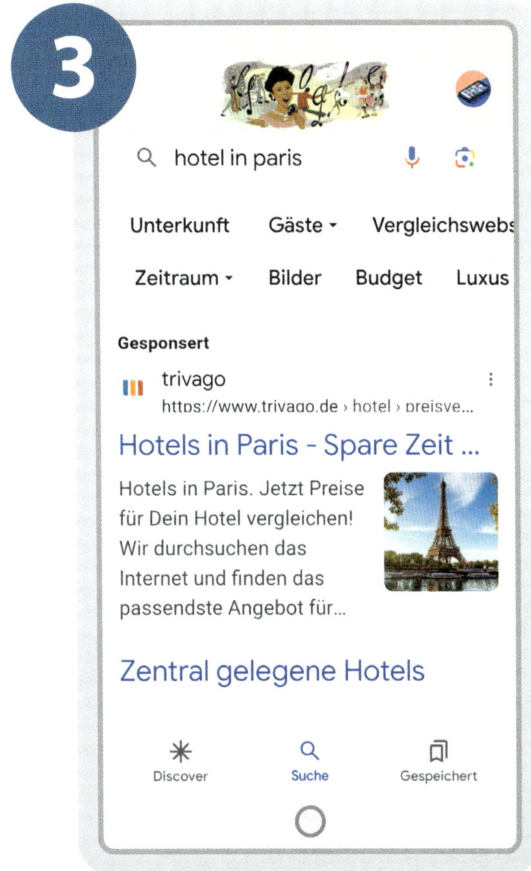

Wähle eine Webseite aus der Liste aus und tippe darauf, um sie zu öffnen.

Aufgabe 37

Überprüfe, ob es Updates deiner Apps gibt.

App

Play Store

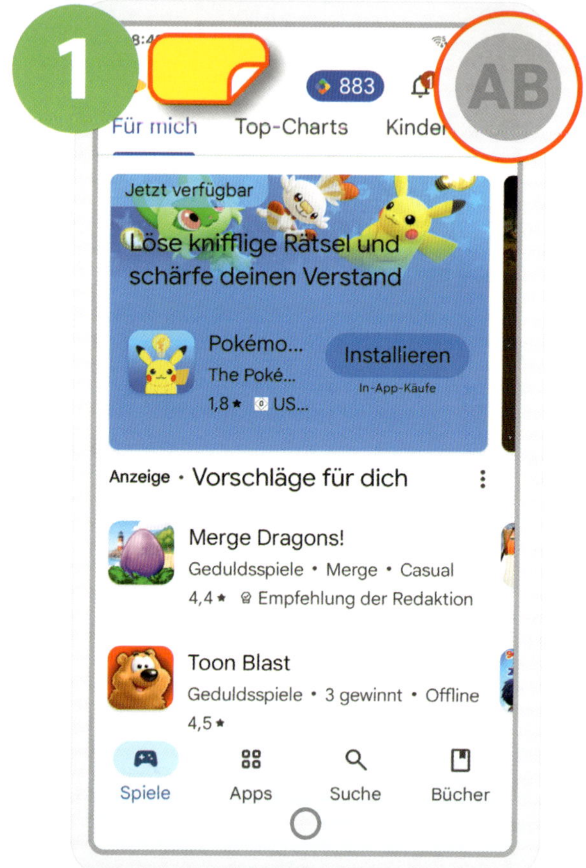

Tippe auf dein Profil-Symbol rechts oben.

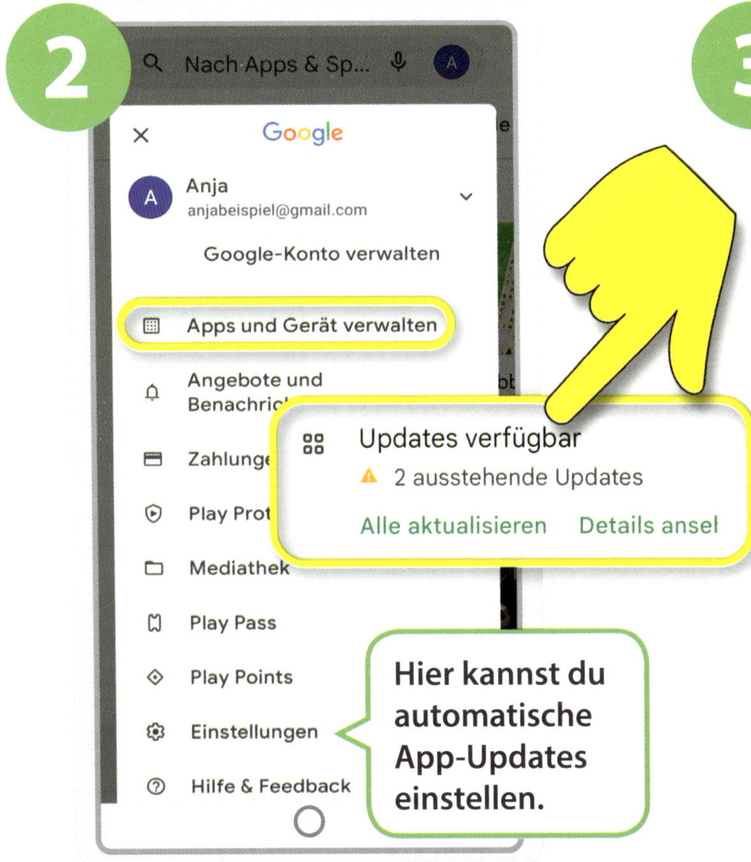

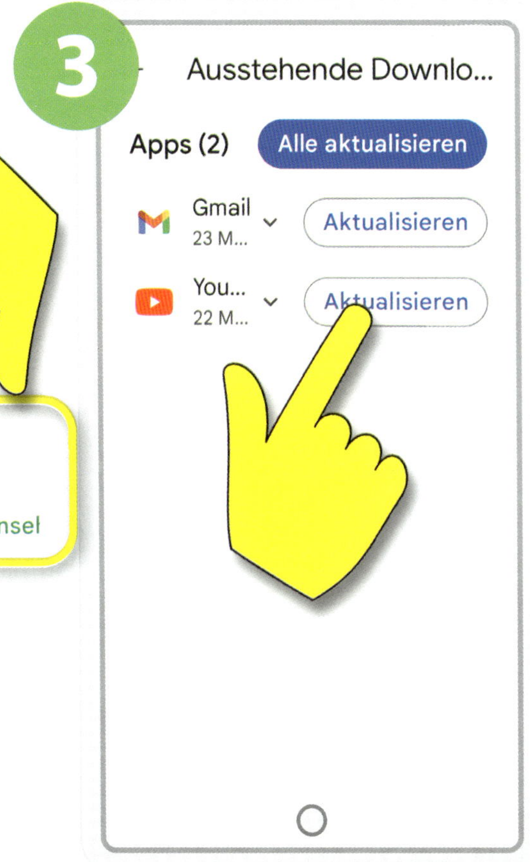

Tippe auf »Apps und Gerät verwalten« und dann auf »Updates verfügbar«.

Auf »Aktualisieren« tippen, um das Update durchzuführen.

Aufgabe 38

Lade eine neue App auf dein Handy.

App

Play Store

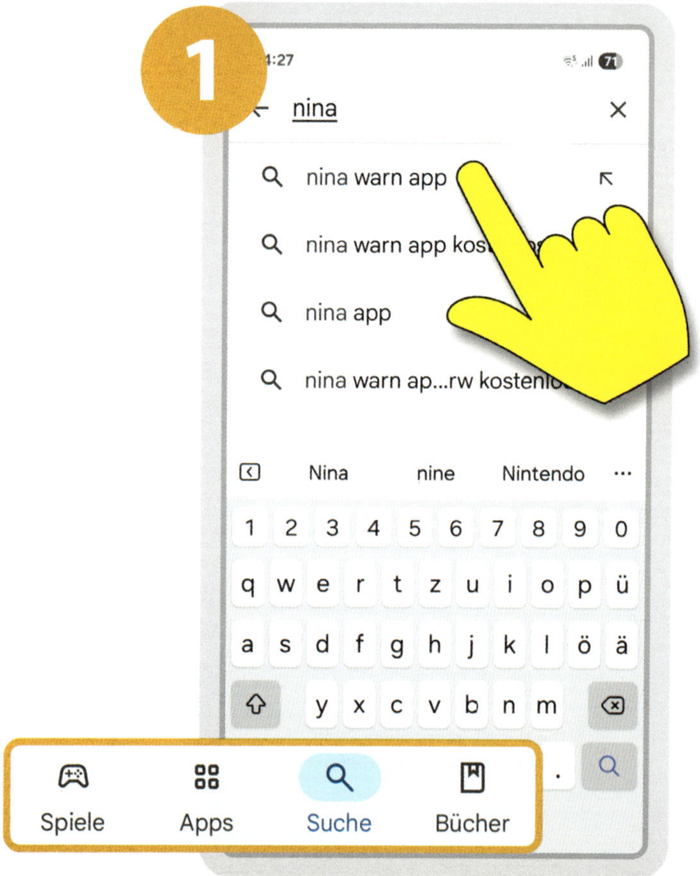

Wähle »Suche« im Menü aus. Gib den App-Namen in das Suchfeld ein und tippe auf das Ergebnis.

2

Kostenpflichtige Apps zeigen hier den Preis an. Du kannst Apps auch einfach mit einer Gutscheinkarte bezahlen.

Tippe auf »Installieren«, um das Laden der App zu starten.

3

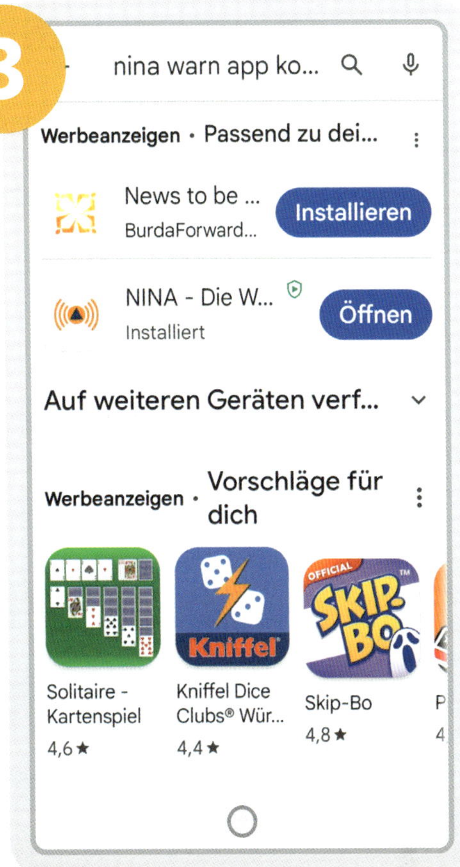

Die App wurde hinzugefügt. Tippe auf »Öffnen«.

Aufgabe 39

Verschiebe die App auf eine neue Position auf deinem Bildschirm.

Drücke etwas länger auf das Symbol der App, die verschoben werden soll, ...

... drücke weiter und schiebe die App auf eine neue Position. Erst jetzt lässt du los.

Du kannst die App auch auf eine andere Bildschirmseite ziehen.

Aufgabe 40

Lösche eine App von deinem Smartphone.

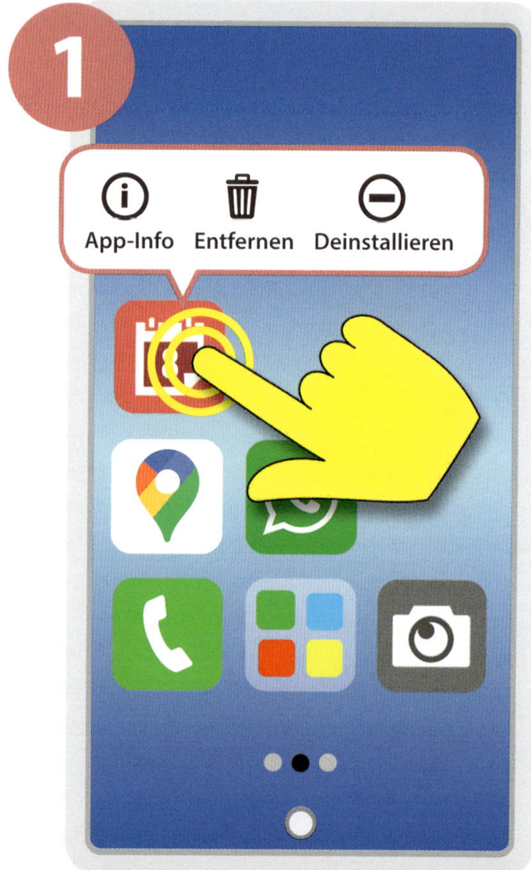

Drücke länger auf das App-Symbol, das entfernt werden soll.

Wähle je nach Smartphone »Deinstallieren« oder »Entfernen«.

Die Deinstallation löscht alle App-Daten. Bestätige die Deinstallation.

Aufgabe 41

Bei WhatsApp anmelden und die Telefonnummer verifizieren.

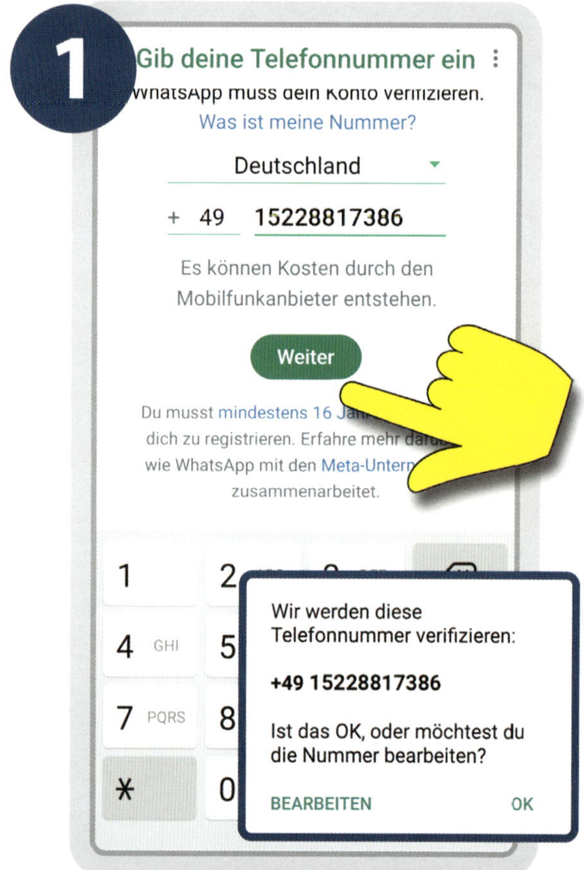

Öffne WhatsApp, wähle eine Sprache, klicke durch die Freigaben und gib deine Telefonnummer ein.

2

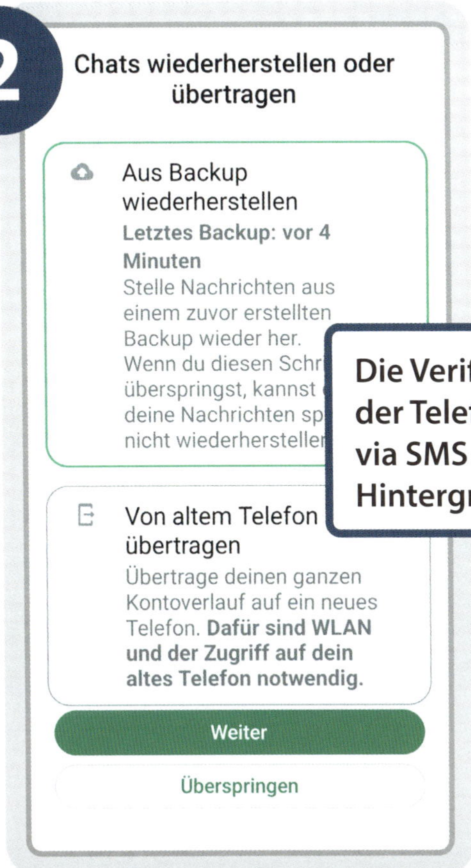

Die Verifizierung der Telefonnummer via SMS findet im Hintergrund statt.

3

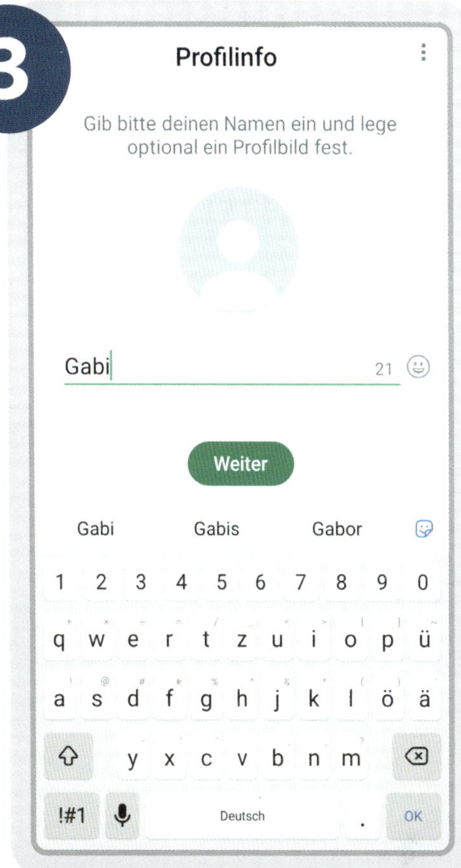

Wenn du schon ein Konto bei WhatsApp hattest, lade das Back-up.

Gib deinen Namen ein und tippe auf »Weiter«.

Aufgabe 42

Schaue dir die verschiedenen Möglichkeiten zur Kommunikation über WhatsApp an.

App

WhatsApp

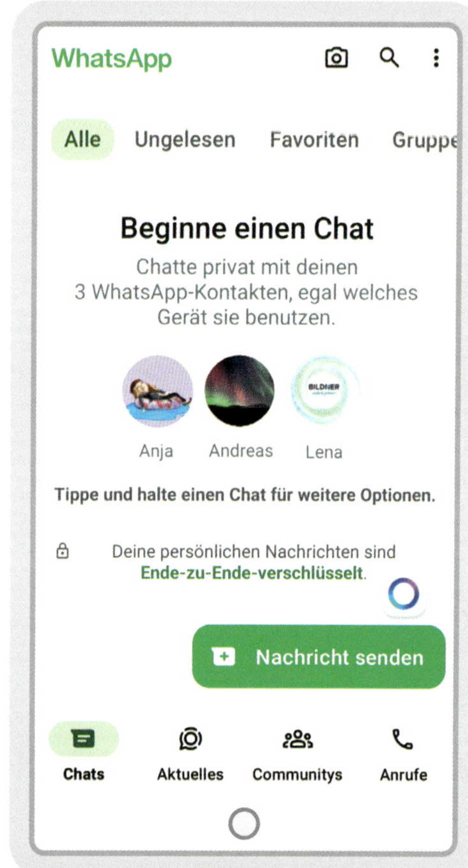

Chat

Nachrichten
an eine Person senden.
mit Anhang:
- Dokument
- Foto Kamera
- Foto Galerie
- Audio
- Standort
- Kontakt-Infos
- Abstimmung
- Ereignis
- Sprachnachricht

Communitys

Gruppen-Chat
Nachrichten an Gruppe senden. Alle Gruppenmitglieder sehen alle versendeten Nachrichten.

Es können mehrere Gruppen unter einer **Community** zusammengefasst werden.

Broadcast

Nachrichten
an mehrere gleichzeitig senden.
Der Teilnehmer antwortet im Einzel-Chat und sieht die anderen nicht.

Aktuelles

Status
Texte, Fotos etc. an alle oder ausgewählte Kontakte verschicken.
Inhalt ist nur für 24 Std. sichtbar.

Kanäle
abonnieren von Stars, Firmen etc. und Infos erhalten.

Anrufe

Telefonat oder Videoanruf
Telefonieren und sich bei einem Videoanruf gegenseitig sehen.

Aufgabe 43

Um WhatsApp Zugriff auf Kontakte oder Kamera zu geben, überprüfe die Zugriffsrechte von WhatsApp.

App

Einstellungen

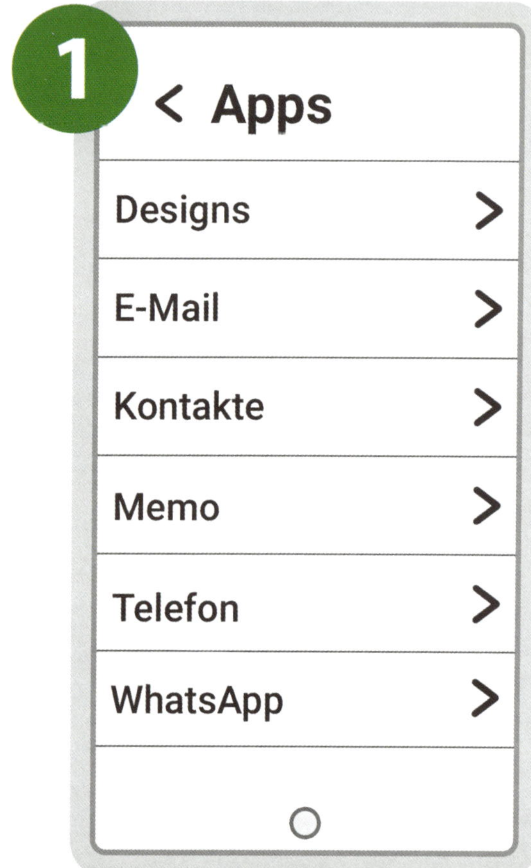

Gehe auf »Apps«. Finde »WhatsApp« und tippe darauf. Die Apps sind alphabetisch geordnet.

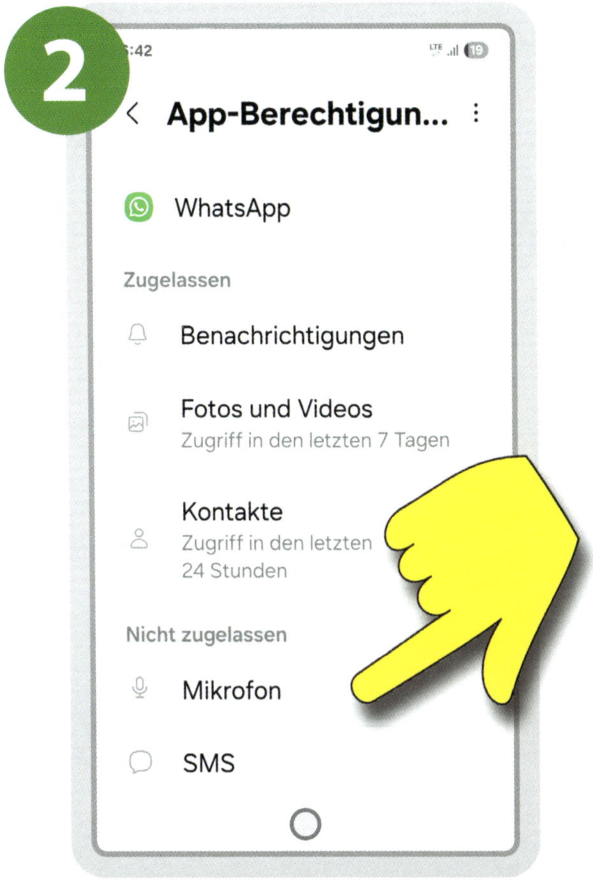

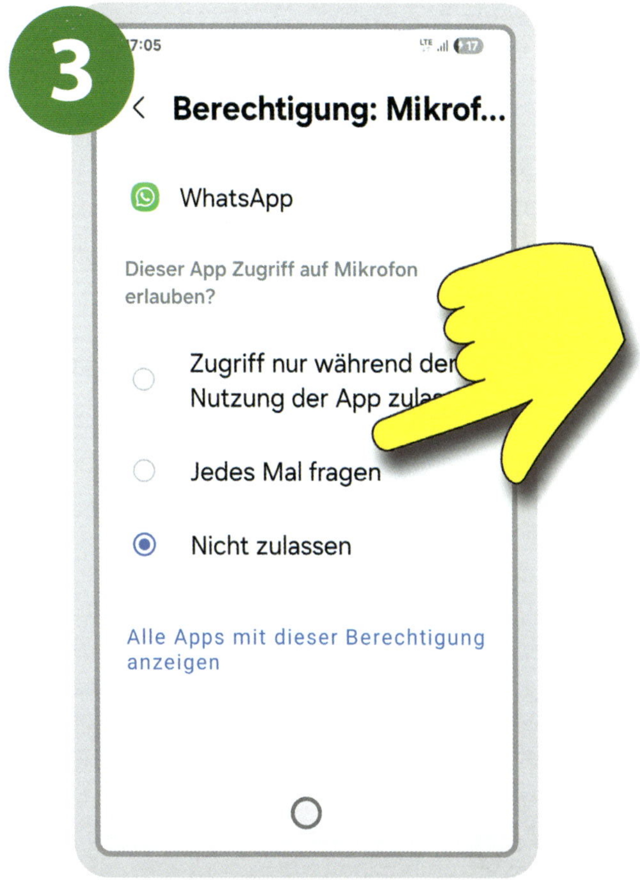

Gehe auf »Zugriffsrechte/Berechtigungen«. Tippe auf einen Eintrag.

Wähle zwischen »Zulassen« oder »Nicht zulassen«.

Aufgabe 44

Bearbeite dein WhatsApp-Profil. Gib ein Foto und eine kurze Info ein.

Öffne in WhatsApp die Einstellungen:

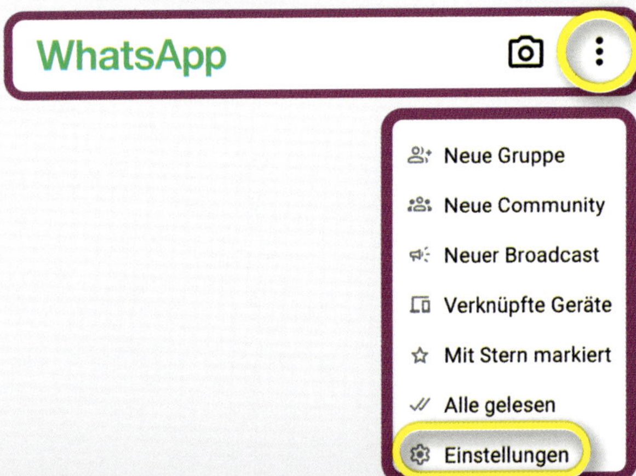

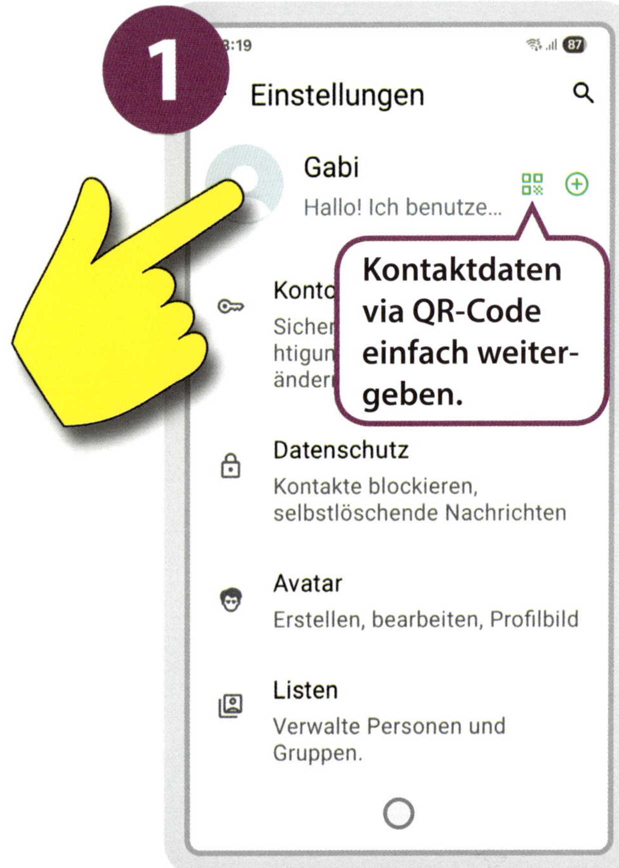

Tippe auf die Zeile mit deinem WhatsApp-Namen.

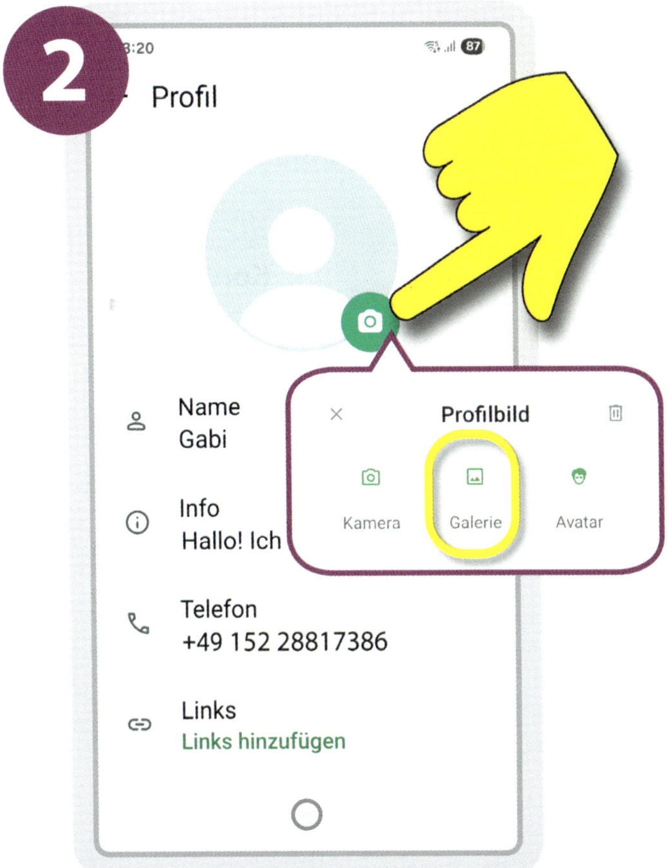

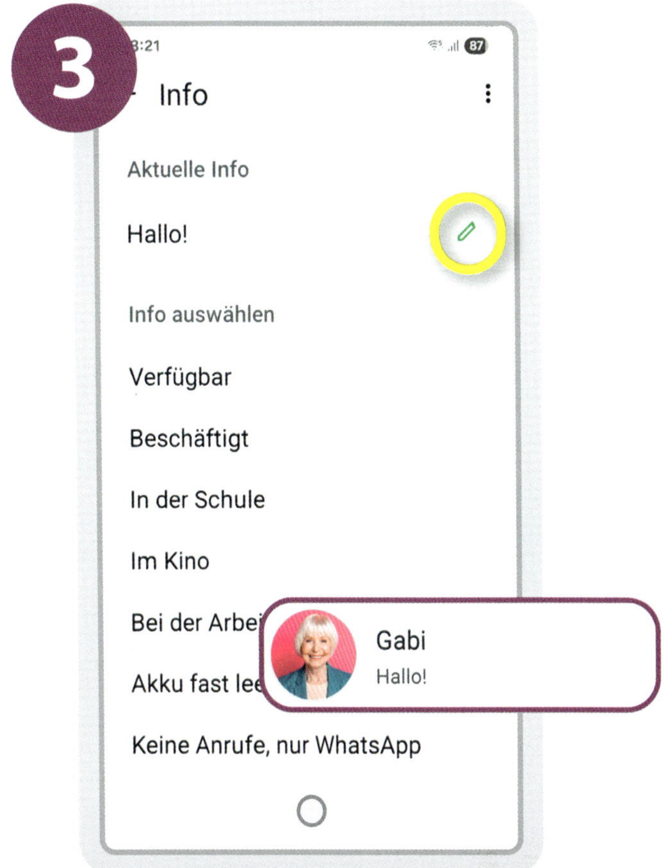

Wähle Kamera oder suche ein Bild in der Galerie aus. Tippe auf »Fertig«.

Tippe auf »Info«, dann auf das Stift-Symbol und gib einen Text ein. Tippe auf »Speichern«.

Aufgabe 45

Schreibe eine Nachricht und schicke sie ab.

Öffne »Chats«:

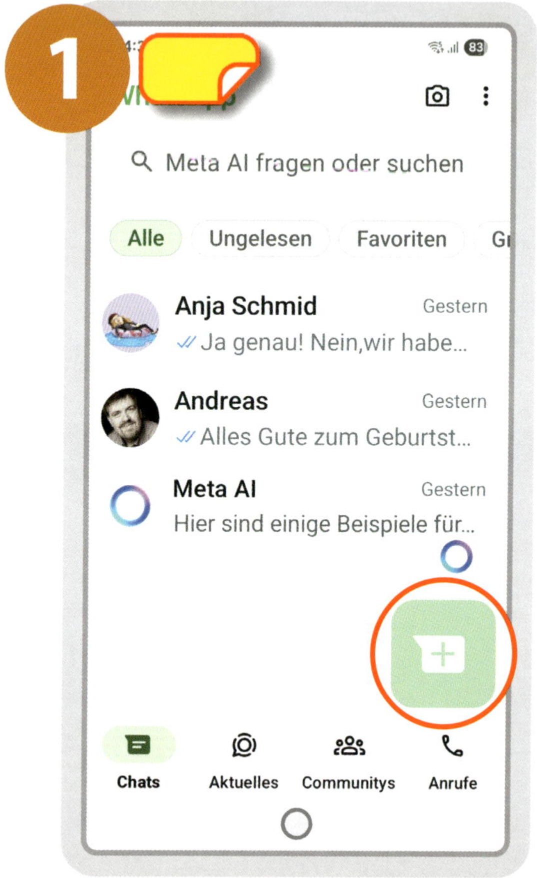

Tippe auf das Symbol »Neue Nachricht« oder direkt auf einen Kontakt.

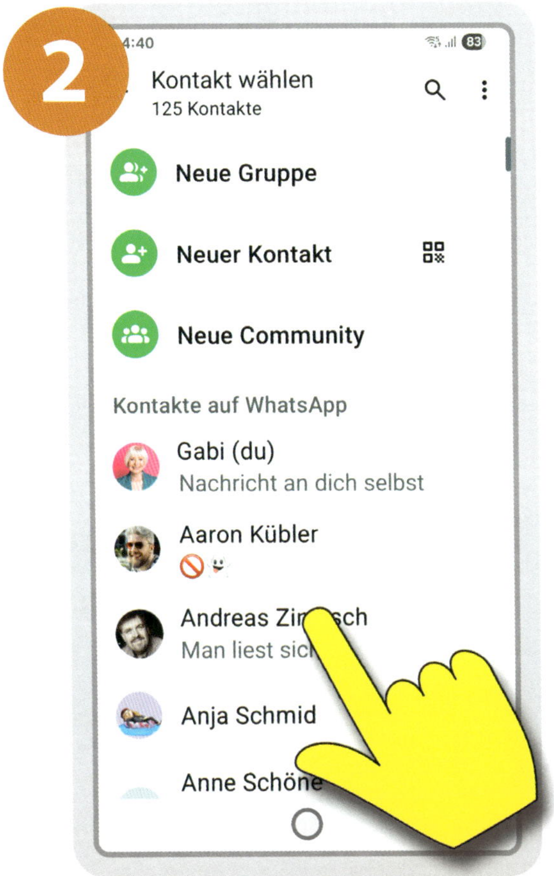

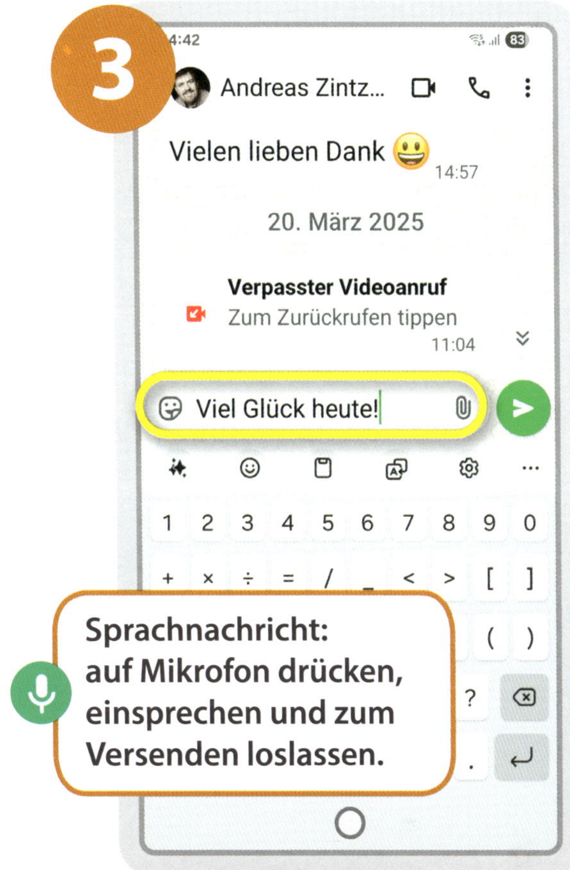

Wähle einen Kontakt aus.

Tippe in das Nachrichtenfeld. Schreibe deine Nachricht und schicke sie ab.

Aufgabe 46

Versende eine Nachricht mit einem Bild aus deiner Fotogalerie.

Öffne »Chats«:

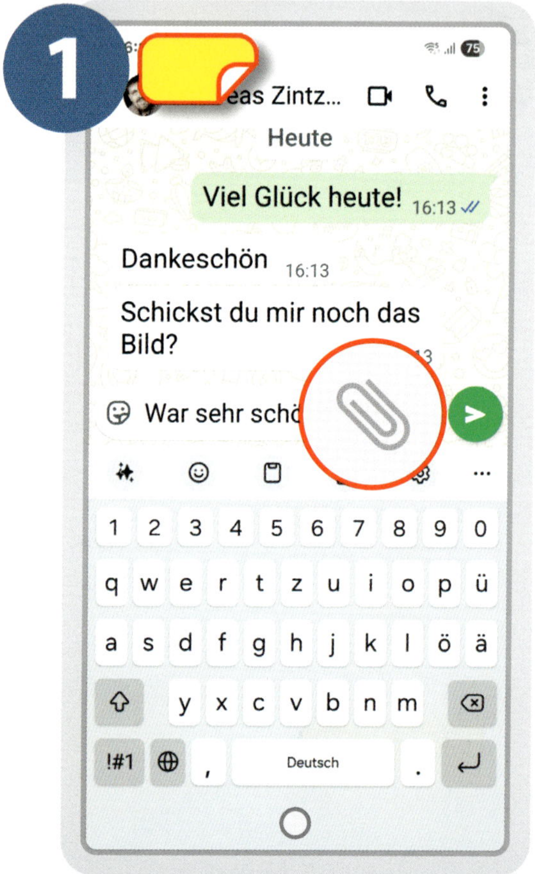

Wähle einen Empfänger aus und schreibe deine Nachricht. Tippe auf die »Büroklammer«.

Bild bearbeiten, z. B. mit Filter.

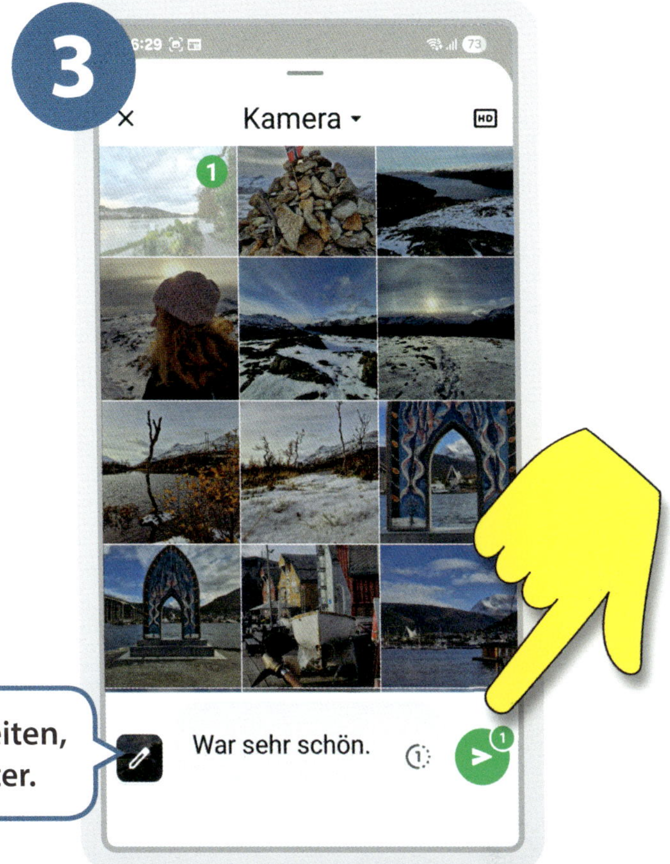

Tippe auf »Galerie«.

Wähle ein oder mehrere Fotos durch Antippen aus. Schicke die Nachricht ab.

Aufgabe 47

a) Lösche eine Nachricht.
b) Leite eine Nachricht an jemanden weiter.

Öffne »Chats«:

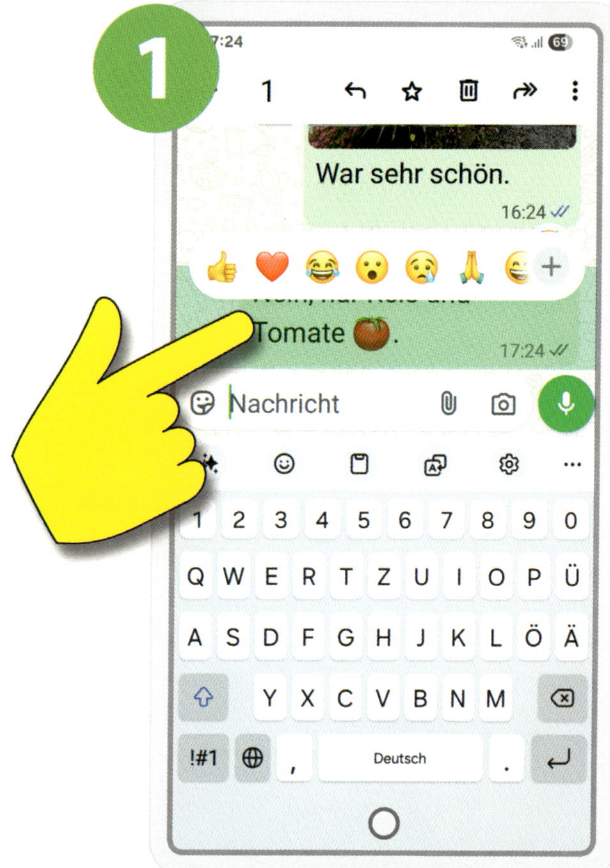

Drücke auf die Nachrichtenzeile, bis oben der Papierkorb erscheint.

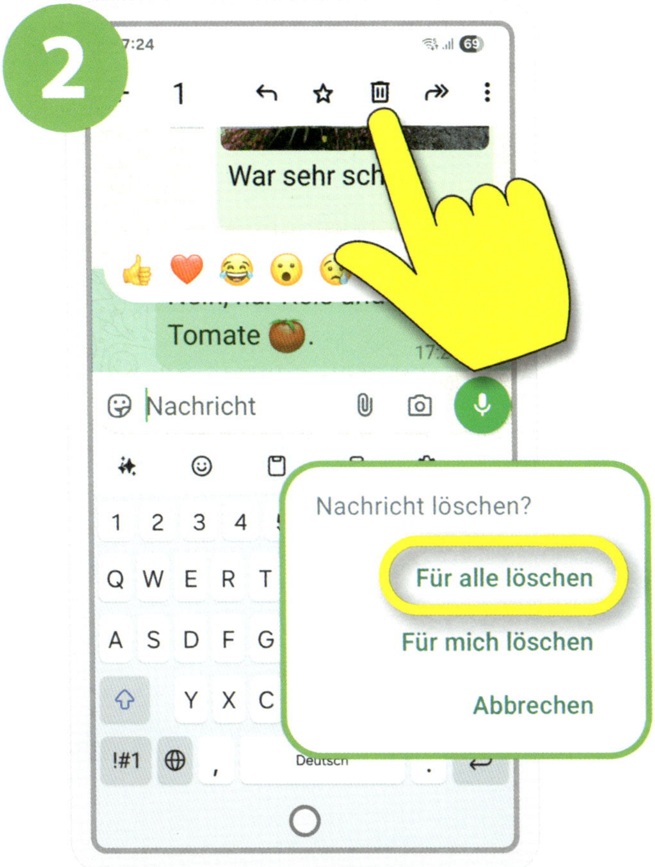

Zum Löschen tippe auf den Papierkorb und bestätige »Für alle löschen«.

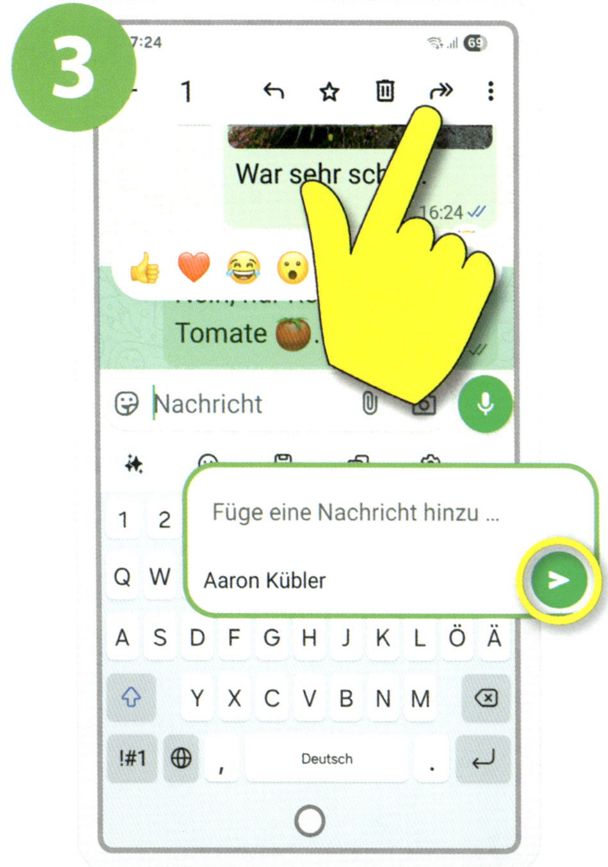

Zum Weiterleiten tippe auf den »Pfeil«. Wähle den Empfänger aus und sende sie.

Aufgabe 48

Führe ein Telefonat oder mache einen Videoanruf über WhatsApp.

Öffne »Anrufe«:

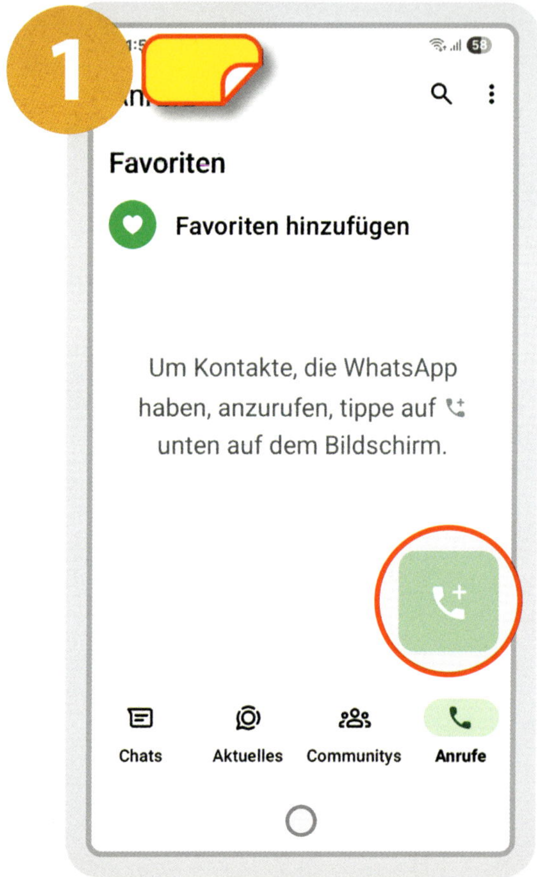

Tippe auf das Symbol mit dem Plus.

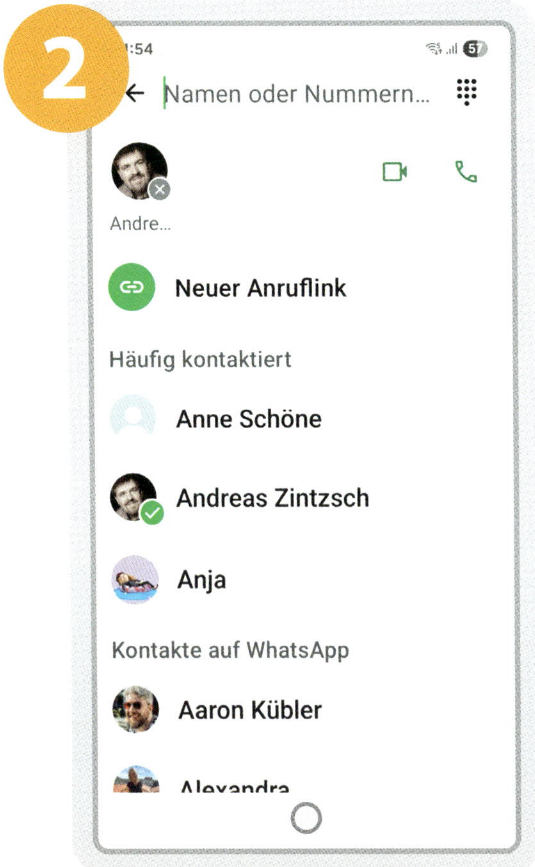

Tippe auf den Kontakt. Für einen Telefonanruf oben auf 📞, für einen Videoanruf auf 📹 tippen.

Tippe auf den roten Hörer, um dein Telefonat zu beenden.

Aufgabe 49

Sende eine Status-Nachricht an Freunde.

Öffne »Aktuelles«:

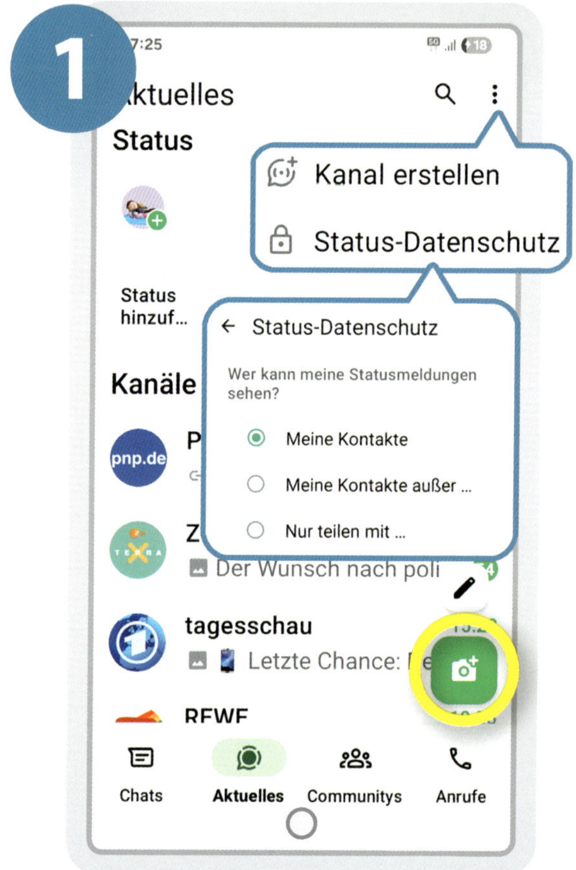

Status-Menü öffnen. Unter »Status-Datenschutz« auf »Nur teilen mit« tippen und Kontakte auswählen. Tippe dann auf .

2

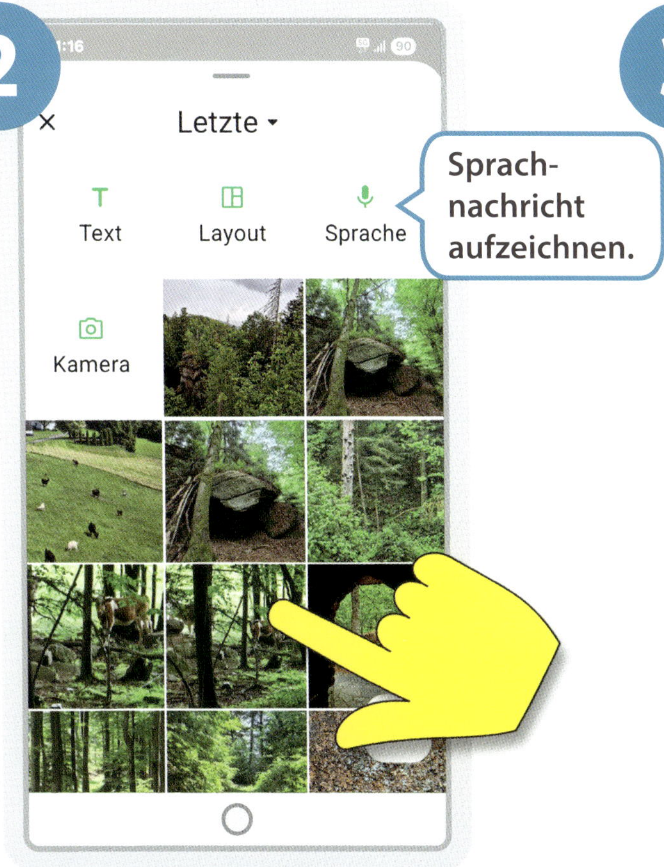

3

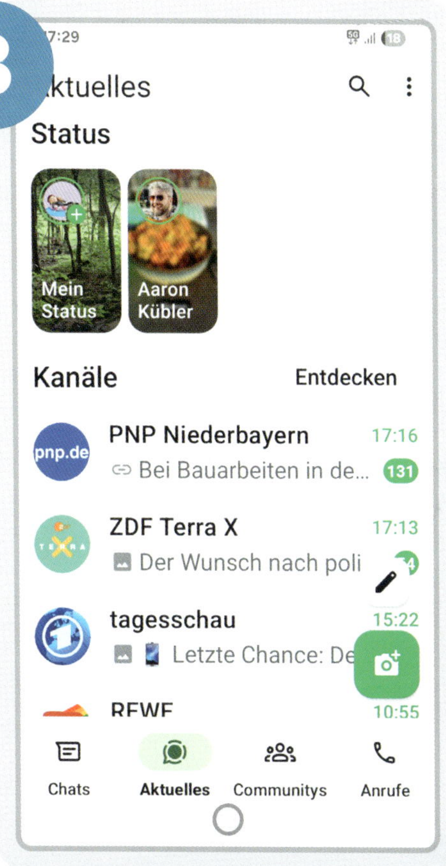

Wähle ein Bild aus. Du kannst einen Text hinzufügen. Tippe dann auf Senden ➤.

Nach dem Absenden bleibt dein Status für 24 Stunden sichtbar.

Aufgabe 50

Bilde deine eigene WhatsApp-Gruppe.

Öffne »Chats«:

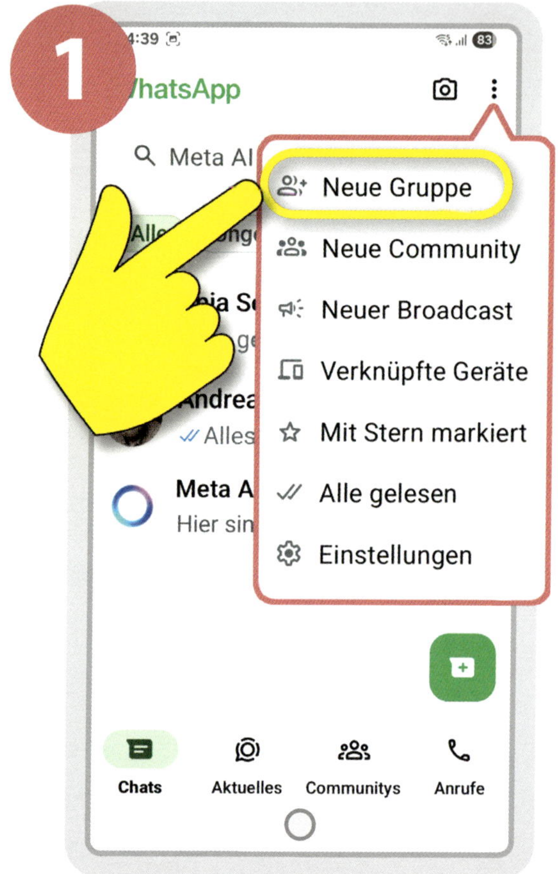

Tippe auf die 3 Punkte und wähle »Neue Gruppe« aus.

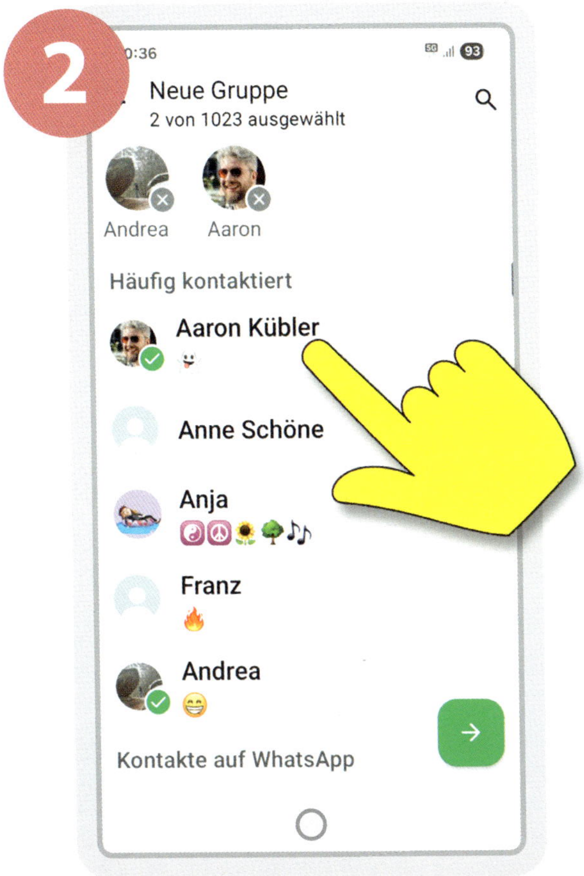

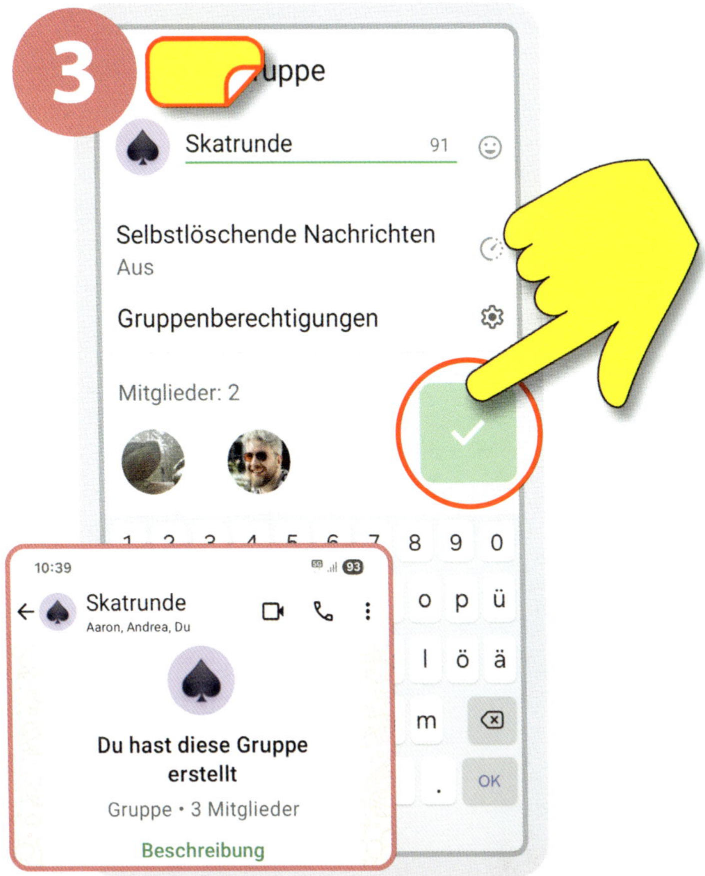

Füge deiner Gruppe durch Antippen aus den Kontakten Mitglieder hinzu. Tippe auf →.

Gib deiner Gruppe einen Namen und ein Bild. Finde und tippe auf ✓.

Android ist ein Betriebssystem für Smartphones. Fast jedes Jahr wird eine neue Version veröffentlicht, die man nach Möglichkeit installieren sollte. Diese Aktualisierung ist bei älteren Smartphones oft nicht mehr möglich. Die aktuelle Version ist Android 16.

App ist eine Abkürzung des englischen Worts *Application*, zu deutsch Anwendung, Programm. Apps sind auf mobilen Geräten installiert, z. B. Kalender, Galerie oder Kontakte. Zum Telefonieren mit dem Smartphone benötigt man beispielsweise die App Telefon.

Bluetooth bezeichnet einen Standard für kabellose Datenübertragung über kurze Entfernungen per Funk. Auf diese Weise kann das Smartphone mit bluetoothfähigen Lautsprechern, Kopfhörern oder neueren Audiosystemen im Auto verbunden werden. Auch eine Kopplung zwischen zwei Smartphones, z. B. zum Austausch von Fotos, ist möglich.

Button ist die englische Bezeichnung für eine Taste oder einen Knopf. Auf dem Smartphone ist es eine digitale Taste mit einem Symbol. Auf dieses muss getippt werden, um eine Aktion auszuführen, z. B. eine App zu starten. Auch der rote Telefonhörer ist ein Button, mit dem man durch Antippen ein Telefonat beendet.

Chat bedeutet *plaudern*. Ein digitaler Chat ist die Kommunikation mittels geschriebenem Text, der vom Sender zum Empfänger übertragen wird, z. B. in WhatsApp.

Home-Button Das englische Wort Home steht für *Haus*, *Zuhause* oder auch *Heimat*. Der Home-Button ist meist eine runde Taste und befindet sich unten, mittig auf dem Smartphone. Auf vielen Geräten ist der Home-Button eine Bildschirmtaste, manche verfügen noch über eine physische Taste. Das Antippen des Home-Buttons bringt dich sofort zurück zum Startbildschirm. Neuere Smartphones haben keinen Home-Button mehr, sondern nutzen Wischgesten. Man wischt auf dem Bildschirm von unten nach oben, um zurück zum Startbildschirm zu gelangen.

KI (Künstliche Intelligenz) oder AI (Artificial Intelligence) ermöglicht es Computern, menschenähnliche Denkfähigkeiten zu zeigen, Texte zu erfassen oder zusammenzufassen, Bilder zu kreieren oder Vorschläge für Problemlösungen zu machen. Auf dem Smartphone gibt es dazu eigene Apps oder KI wurde in die App integriert. Bekannte Firmen im KI-Bereich sind Google (App Gemini), OpenAI (App ChatGPT) und Meta (in WhatsApp MetaAI integriert).

Mobilfunkstandards Die Mobilfunktechnik zur Datenübertragung hat über die Jahre verschiedene Verfahren oder Standards entwickelt, um Funksignale zu übertragen. Die Abkürzungen für die verschiedenen Standards sind E, 3G, H+, 4G, LTE und 5G. Das G steht dabei für Generation. 5G ist in deutschen Großstädten bereits vorhanden und soll kontinuierlich ausgebaut werden. In den Einstellungen unter Datenoptionen kann man prüfen, ob das Smartphone 5G-fähig ist. In der Statusleiste oben am Bildschirm erkennt man, über welche Mobilfunktechnik das Smartphone gerade Daten überträgt.

NFC steht für *Near Field Communication*, zu deutsch Nahfeldkommunikation. Diese Technik ermöglicht kontaktlosen Austausch von Daten über kurze Strecken von wenigen Zentimetern. Bisher kommt diese Technik vor allem im Bereich der Zahlung von kleineren Beträgen über EC-Karten, Kreditkarten oder Smartphones zum Einsatz. In Deutschland wird die Technik beispielsweise von den Sparkassen zur Zahlung von Summen bis zu 50 Euro angeboten.

Screen (Touchscreen) ist das englische Wort für *Bildschirm*, touch heißt *Berührung*. Smartphones bestehen aus einem Bildschirm, der über Touch-Technik bedient wird. Das heißt, man muss den Bildschirm mit dem Finger antippen, um Programme zu bedienen. Die Touchscreen-Technik hat verschiedene Fingergesten: einmal tippen, zweimal schnell hintereinander tippen, länger drücken, mit dem Finger nach rechts, links, oben oder unten wischen und mit dem Finger gedrückt etwas ziehen. Mit diesen Fingergesten werden alle Programme auf dem Smartphone bedient.

Screenshot nennt man eine Aufnahme des gesamten Bildschirms. Damit haben Sie die Möglichkeit, wichtige Informationen, die auf dem Bildschirm angezeigt werden, in einem Foto festzuhalten, z. B. eine Zugverbindung oder einen Warnhinweis. Anhand des Fotos kann man eine andere Person um Rat bitten.

Smart-Stift oder auch Eingabestift ist ein Stift, der eine Gummikappe als Spitze hat. Diese Gummikappe ersetzt den Finger bei der Bedienung eines Smartphones. Wenn die Haut an der Fingerkuppe sehr trocken ist oder es sehr kalt ist, funktioniert der Touchscreen mit dem Finger nicht mehr richtig. Manchmal sind die Buttons, die man antippen soll, auch sehr klein.

Update Betriebssysteme und Apps werden ständig verbessert. Wenn eine neue Version zur Auslieferung an die Kunden fertig ist, spricht man von einem Update, zu deutsch *Aktualisierung*. Updates werden online angeboten und müssen auf das eigene Gerät heruntergeladen und installiert werden. Auf Android-Smartphones findest du Updates zu den Apps im Play Store. Updates zum Betriebssystem erscheinen zum Teil als Hinweis auf dem Bildschirm oder werden in der App Einstellungen unter Software-Update zur Verfügung gestellt. Einige Aktualisierungen können auch automatisch installiert werden.

WLAN (WiFi) WLAN oder auch WiFi bezeichnet ein lokales, drahtloses Netzwerk, mit dem du auf Computern, Smartphones oder Tablets Zugang zum Internet bekommst. Um ein WLAN-/WiFi-Netzwerk aufzubauen, wird eine zentrale Sende- und Empfangsstelle benötigt. Das übernimmt häufig der sogenannte Router oder Netzwerkrouter. Dieses Gerät ist mit dem Internet verbunden und kann auch ohne Kabel eine Verbindung mit deinem Smartphone aufbauen. Um mobile Daten zu sparen, kann man sich zu Hause, in Cafés, im Hotel oder auch am Flughafen und in der Bahn über WLAN/WiFi mit dem Internet verbinden.